BRENO PAQUELET

PARE
DE GANHAR MAL

MANUAL DE NEGOCIAÇÃO PARA
AUMENTAR SEU SALÁRIO
E SUA QUALIDADE DE VIDA

SEXTANTE

Copyright © 2019 por Breno Paquelet Grigorovski

Todos os direitos reservados. Nenhuma parte deste livro pode ser utilizada ou reproduzida sob quaisquer meios existentes sem autorização por escrito dos editores.

edição: Nana Vaz de Castro
revisão: Rafaella Lemos, Rebeca Bolite e Taís Monteiro
projeto gráfico e diagramação: Ana Paula Daudt Brandão
capa: Natali Nabekura
impressão e acabamento: Associação Religiosa Imprensa da Fé

CIP-BRASIL. CATALOGAÇÃO NA PUBLICAÇÃO
SINDICATO NACIONAL DOS EDITORES DE LIVROS, RJ

P236p	Paquelet, Breno
	Pare de ganhar mal: manual de negociação para aumentar seu salário e sua qualidade de vida/ Breno Paquelet. Rio de Janeiro: Sextante, 2019.
	160 p.; 14 x 21 cm.
	ISBN 978-85-431-0773-8
	1. Relações trabalhistas. 2. Salários. I. Título.
19-57062	CDD: 658.32
	CDU: 005.955

Todos os direitos reservados, no Brasil,
Por GMT Editores Ltda.
Rus Voluntários da Pátria, 45 – Gr. 1.404 – Botafogo
22270-000 – Rio de Janeiro – RJ
Tel.: (21) 538-4100 – Fax: (21) 2286-9244
E-mail: atendimento@sextante.com.br
www.sextante.com.br

A todos que, com dedicação e persistência, trabalham para transformar seus sonhos em realidade.

Sumário

Introdução ... 9
   Minha história ... 12

CAPÍTULO 1: **Por que é tão difícil pedir aumento?** ... 17
   Obstáculos psicológicos ... 19
   Confie em você ... 22

CAPÍTULO 2: **Entenda a cabeça do empregador** ... 29
   O aumento faz sentido? ... 32
   Quem é a parte forte na negociação? ... 37
   Por que a empresa lhe daria um aumento? ... 40
   Exercício: Autoavaliação ... 46

CAPÍTULO 3: **Prepare-se para receber um aumento** ... 47
   Esteja visível ... 48
   Desenvolva sua inteligência emocional ... 50
   Vale a pena negociar? ... 52
   Descubra quanto você vale ... 53
   Exercício: Sinais de subvalorização ... 60
   Manifesto – Vá buscar o que é seu! ... 61

CAPÍTULO 4: **Monte uma estratégia eficaz** ... 63
   Com quem negociar? ... 64
   Existe momento certo para pedir o aumento? ... 68
   Pegar o chefe desprevenido ou agendar a conversa? ... 71
   Negociar de forma sequencial ou paralela? ... 72
   Priorizar seus interesses ... 73
   Embasar sua argumentação com dados ... 74
   Praticar sua abordagem ... 76
   Exercício: Quem? Quando? O quê? ... 78

CAPÍTULO 5: Entrando em ação — 81
 Persuasão — 83
 Quanto e como pedir? — 85
 Pressionar com outras propostas de emprego? — 94
 Enquadramento: Desafie a lógica existente — 99
 Flexibilidade e resiliência — 102
 Ajude seu gestor a construir o discurso de defesa do seu aumento — 103
 O que *não* fazer — 105
 Postura pós-conversa inicial — 110
 Mapa resumo: checklist — 116

CAPÍTULO 6: Situações especiais — 121
 Negociando mais qualidade de vida — 121
 Flexibilização das relações de trabalho — 123
 Negociando salário em um novo emprego — 124
 Negociando salário no primeiro emprego — 129
 Fui promovido sem aumento salarial. O que fazer? — 132
 Aumentaram minha carga de trabalho sem compensação financeira — 135
 Abandonando a carreira em favor da família — 138
 Retornando ao mercado de trabalho — 139
 Como negociar se você for superqualificado para a posição — 141
 Como agir se você identificar que o obstáculo para o seu aumento é ligado a preconceito — 143
 Lidando com questões difíceis — 144
 Meu chefe prometeu o aumento e não cumpriu — 147
 Servidor público — 148

Conclusão — 149
 Ferramenta: Canvas de Negociação Salarial — 152

Agradecimentos — 155

Bibliografia — 157

Introdução

"Na vida e nos negócios, você recebe não o que merece, mas aquilo que negocia."

— CHESTER KARRASS

Se você está lendo este livro, é muito provável que esteja insatisfeito com o seu salário ou emprego. Você não está sozinho; esse sentimento é compartilhado por 56% dos brasileiros empregados.[1] Apesar do alto índice de insatisfação, apenas 29% das pessoas negociaram o valor que recebem em seu trabalho atual.[2]

Por que é tão difícil pedir aumento e como vencer essa barreira? Foi para tentar responder a essas perguntas – que escuto com muita frequência em palestras, cursos e conversas informais – que decidi escrever este livro.

Nas páginas a seguir, apresento um processo estruturado, claro e objetivo que você pode adaptar à sua vida para montar sua estratégia e executá-la. Não existem atalhos nem respostas simples. Tudo vai depender do ambiente em que você se encontra, da força de suas alternativas, da capacidade em demonstrá-las e

---

[1] Instituto Locomotiva, 2017.
[2] Pesquisa da Jobvite/Estados Unidos em 2017 (https://www.jobvite.com/wp-content/uploads/2017/05/2017_Job_Seeker_Nation_Survey.pdf).

da criatividade em buscar soluções vantajosas para si mesmo e para a empresa. Seguindo esses passos, suas chances aumentarão consideravelmente.

Negociação salarial é um processo que envolve riscos. Você pode se frustrar e ainda prejudicar o relacionamento individual mais importante da sua vida profissional: o que tem com seu gestor. Por isso desenvolverei cada ponto de forma estruturada, considerando as variáveis envolvidas, destacando pontos de atenção e apresentando dicas práticas, erros comuns e casos reais para que você se sinta realmente preparado e encorajado a buscar o que é seu – com grandes chances de sucesso.

Apesar dos riscos, os benefícios da negociação salarial são muito altos. Afinal, sua saúde financeira depende basicamente de três fatores: quanto você ganha; quanto gasta; e quanto/como investe. O jeito mais simples de ganhar mais, para poder fazer maiores investimentos, é aumentando o seu salário. E para que a negociação salarial se concretize, existem três fatores essenciais:

1. Você precisa verdadeiramente merecer o aumento.
   Este ponto envolve autoanálise, desempenho, resiliência, relacionamento interpessoal, conhecimento técnico e outras características necessárias para se destacar no ambiente profissional. É o ponto de partida para analisar se o aumento faz sentido. Caso não faça, é preciso trabalhar nessas questões antes de qualquer tentativa.

2. O aumento precisa ser viável.
   Por mais que você mereça e até tenha condições de convencer seu gestor, seu pedido pode ser inviável para a empresa. É preciso avaliar o momento (talvez agora não seja factível, mas daqui a alguns meses sim), ter flexibilidade (talvez não seja possível atender ao seu pedido da forma como foi feito, mas apenas se forem incluídas outras variáveis) e considerar a

possibilidade de que talvez não haja viabilidade de a empresa atender às suas demandas em momento algum (o que geraria mais clareza na decisão de que o ideal é buscar diferentes alternativas de carreira).

3. É preciso agir e convencer os tomadores de decisão.
Este passo abrange todos os movimentos para concretizar seu pedido – antes, durante e depois da negociação em si. Entre outras coisas:
- Fazer uma pesquisa prévia para determinar seu valor de mercado.
- Trabalhar para ficar no topo da faixa salarial do seu segmento.
- Preparar a argumentação a seu favor – sem colocar em risco o relacionamento com os gestores.
- Construir o discurso de forma convincente, relacionando suas atitudes a resultados de sucesso.
- Usar uma abordagem colaborativa (aliados *versus* adversários).
- Saber superar a primeira negativa – que normalmente surge quando o assunto é levantado.
- Usar outras variáveis na negociação para superar impasses e conseguir atender aos interesses de ambas as partes.

O livro o conduzirá ponto a ponto pelas etapas de análise pessoal, montagem da estratégia, ação na mesa de negociação, postura a ser adotada após a primeira conversa e possíveis renegociações. Há ainda três ferramentas importantes que podem ser baixadas no meu site (www.bpaquelet.com) para que você tenha acesso rápido a elas quando precisar:
- Manifesto "Vá buscar o que é seu": um compromisso que você precisa assumir para ter sucesso no processo de negociação salarial.

- Mapa do passo a passo abordado no livro para ajudar você a lembrar os principais tópicos.
- Canvas de Negociação Salarial: ferramenta com itens a serem preenchidos para facilitar a organização de ideias na fase de preparação.

Ouço sempre dos meus alunos que livros de negociação são interessantes de ler, mas que os deixam muito confusos sobre o que fazer exatamente quando chega o momento de negociar. Durante todo o processo de escrita deste livro, mantive em mente essa frustração, buscando ao máximo me colocar no lugar deles (que já ocupei e continuo ocupando em vários momentos da minha carreira, quando preciso negociar o que considero justo e viável). Meu compromisso com você, leitor, é apoiá-lo nesse processo, do início ao fim, sendo o mais claro e objetivo possível nos pontos abordados, facilitando sua aplicação imediata na vida real.

Como diria Peter Drucker: "A melhor forma de prever o futuro é criá-lo". Conte comigo para adquirir confiança e conhecimento suficientes para montar e executar uma estratégia eficaz de negociação salarial, e assim criar um futuro de maior satisfação profissional e pessoal, com um salário justo e qualidade de vida.

Minha história

Antes de iniciar nossa jornada, permita que eu me apresente. Sou especialista em negociações estratégicas, presto consultoria e realizo treinamentos em empresas de diversos segmentos. Atuo também como professor de Negociação, Influência e Gestão de Conflitos em cursos de MBA e em workshops abertos ao público, além de mentorar profissionais e empresas para que encontrem o caminho mais favorável para suas carreiras, seus produtos e serviços.

Hoje tenho uma visão muito clara do processo de negociação e dos campos de influência que atuam sobre ele. Sinto-me confortável antes, durante e depois das negociações em que me envolvo. Mas nem sempre foi assim. Antes de iniciar minha carreira, tinha a visão distorcida da negociação como uma batalha de interesses, em que alguém só poderia "vencer" às custas da "derrota" do outro. Achava que precisava ser durão e proteger minhas informações a qualquer preço e que não poderia ser gentil, pois se aproveitariam de mim.

Felizmente, tive a oportunidade de me envolver diretamente em milhares de negociações ao longo da carreira e de gerir equipes responsáveis por movimentar centenas de milhões de reais ao longo dos anos. Com a prática, descobri que só é possível alcançar acordos complexos com constância e regularidade quando se enxerga o outro lado da negociação como parte essencial para o negócio, alguém que, assim como eu, precisa ter seus interesses atendidos.

Em toda minha carreira, iniciada em 2004, sempre tratei a negociação de cargos e salários como parte integrante e essencial do trabalho. Nunca a considerei tema indisponível ou determinado por forças externas. Mas como nenhum aumento que recebi foi dado de forma proativa pelas empresas, tive que me desenvolver muito nessa questão, aprender com os erros, para, com muito custo, alcançar meus objetivos, degrau por degrau.

Desde criança, queria ser um grande gestor empresarial. Quando entrei no mercado de trabalho, tracei duas metas relevantes: ser gerente até os 30 anos e diretor até os 35. Fiquei muito focado nesses marcos, encarei todos os desafios que podia e me esforcei demais para alcançá-los.

Aos 29 anos, após oito anos em uma mesma empresa – dois deles dedicados a uma intensa tarefa de reestruturar comercialmente regiões de diversos estados, percorrendo distâncias que somadas equivalem a uma ida a China –, consegui atingir o primeiro marco. Ao perceber que não conseguiria ser diretor por lá, decidi mudar de setor e aceitar o desafio em outra empresa, na qual enxergava potencial de crescimento. Faltando dois meses para completar os 35 anos, consegui atingir o segundo marco e me tornei diretor.

Aos 37 anos, estava realizado por ter alcançado minhas metas e por concluir que os princípios em que eu acreditava – foco, determinação e iniciativa – tinham cumprido seu papel e poderiam me levar novamente a atingir outros objetivos de vida. Mas, ao refletir sobre quais seriam esses novos marcos, percebi que havia sacrificado muito da minha vida pessoal e adiado planos paralelos que me trariam satisfação.

Decidi então buscar o meu propósito e abandonar o cargo de diretor, que ocupava havia dois anos, para equilibrar meus novos projetos com a qualidade de vida que desejava. Logo que tomei essa decisão e comecei a transição de carreira, passei por uma provação: recebi uma proposta de outra empresa, bem estruturada, para assumir a direção comercial, com salário duas vezes maior. Como já havia refletido bastante e sabia que, naquele momento, a realização era mais importante que o dinheiro, declinei e segui meus planos.

Meu propósito é ajudar pessoas e empresas a alcançarem seus objetivos através da negociação. Faço isso compartilhando conhecimento facilmente aplicável na vida real. Após ter estudado e vivenciado negociações complexas por tanto tempo, senti que não era justo guardar esse conhecimento só para mim. O desejo de ensinar e desmistificar o tema da negociação só crescia, e hoje me dedico a essa atividade, treinando profissionais de diversas áreas, de médicos a gestores empresariais, passando por advogados, engenheiros e economistas. Fui o especialista em negociações que mais produziu conteúdo para veículos de mídia especializados nos anos de 2017, 2018 e 2019, e agora realizo o sonho antigo de escrever um livro.

Decidi abordar este tema da negociação salarial porque muitas pessoas me perguntam sobre isso em conversas informais, mas, como é um processo com muitas variáveis, as poucas dicas que dou em 10 ou 15 minutos podem não se encaixar no contexto completo. Se tivéssemos três horas para conversar, com papel e caneta à mão, seria bem possível traçar estratégias de sucesso.

Com a missão de compartilhar esse conhecimento, teremos por aqui nossas horas de "conversa", e convido você a fazer as anotações que achar importantes. Compartilhei minha história para contextualizar minha crença atual de que não apenas cargos e salários importam, mas também a qualidade de vida. Darei dicas para quem está no momento de focar no crescimento de carreira, mas também levo em consideração as pessoas que buscam maior equilíbrio entre vida pessoal e profissional, pois isso também é passível de negociação.

CAPÍTULO 1

Por que é tão difícil pedir aumento?

"Sem saber que era impossível, foi lá e fez."
– Pensamento atribuído a Mark Twain

Algumas páginas atrás citei números estarrecedores: 56% dos brasileiros empregados não estão satisfeitos com seu salário ou emprego, mas apenas 29% negociaram o salário no emprego atual. Por que será que tão pouca gente age para defender os próprios interesses em relação a um assunto que impacta seriamente sua qualidade de vida? Por que sofremos ao nos sentirmos desvalorizados no trabalho, reclamamos dia após dia com colegas pelos corredores, com familiares em casa, mas não fazemos nada de concreto para mudar a situação?

Um dos principais motivos é o receio de ser visto como ganancioso ou egoísta demais, de ser mal interpretado ou de colocar em risco o emprego.

Existem estudos no campo da psicologia que comprovam nossa necessidade de aprovação social e aceitação. Além disso, segundo o conceito de aversão ao risco, observado pela primeira vez pelos psicólogos Daniel Kahneman e Amos Tversky, o sofrimento causado pela possibilidade de perder algo (no caso, o emprego) é duas vezes maior que a satisfação trazida por um ganho (aumento salarial ou promoção). Mais adiante, abordarei também conceitos como agilidade emocional, mentalidade fixa e os vieses decisórios que acabam nos sabotando na busca por nossos interesses.

Há também uma questão inconsciente que envolve nossa disposição em honrar a responsabilidade que acompanha o aumento salarial. Permanecer na zona de conforto – que prefiro chamar de zona de inércia, já que há muito desconforto nela – pode parecer ruim, mas não exige compromissos nem esforços adicionais em relação ao que você realiza normalmente em seu trabalho. Ao receber um incremento salarial ou promoção, no entanto, a cobrança aumenta e é preciso se colocar numa posição desconfortável e desconhecida, que nem todos estão realmente dispostos a ocupar. Como diria Sun Tzu: "A vitória está reservada para aqueles que estão dispostos a pagar o preço." Por isso, a primeira parte do livro discorre sobre a autoanálise em relação ao merecimento e à disposição para mudar as próprias atitudes.

Outro obstáculo à negociação é a visão tradicional de que ela representa uma batalha de vontades, isto é, que para uma pessoa ganhar algo, a outra necessariamente tem que perder. Ao pensar assim, assume-se que sempre há grande risco de prejudicar o relacionamento com o gestor ao iniciar uma negociação, e como a relação com ele é vista como essencial, não valeria a pena correr esse risco.

Entretanto, essa visão é simplista e há diversos exemplos que demonstram que é possível satisfazer os interesses de ambos em uma negociação, por meio de criatividade e colaboração construídas a partir de trocas que tenham baixo custo e alto benefício.

Defender seus interesses exige atitude. Apesar de 52% dos profissionais americanos se sentirem confiantes para negociar o salário[3] (mesmo que não estejam realmente preparados), pouco

---

[3] Pesquisa da Jobvite/Estados Unidos em 2017 (https://www.jobvite.com/wp-content/uploads/2017/05/2017_Job_Seeker_Nation_Survey.pdf)

mais da metade efetivamente tem a iniciativa de negociar. Isso é uma pena, pois o mesmo estudo demonstra que, dos que tentam, 84% conseguem algum aumento. Esse índice é altíssimo e privilegia quem tem a postura de se preparar e a iniciativa de ir atrás dos próprios interesses (e, indiretamente, os da sua família).

Sem dúvida, o processo de negociação de salário é estressante, desconfortável e amedrontador. Por isso, muitos desistem no meio. Isso é bom para os que persistem, porque nenhuma empresa suportaria os custos de dar aumentos constantes a todos.

Obstáculos psicológicos

No complexo ambiente de negócios atual, com muita imprevisibilidade, concorrência e novas tecnologias, há diversos desafios a serem superados pelos profissionais que buscam ter sucesso na carreira. Mas, em muitos casos, os maiores obstáculos são interiores: estão na cabeça do profissional. Crenças limitantes, traumas não superados, falta de confiança, insegurança, ansiedade podem fazer com que você mesmo sabote seus planos de crescimento.

Esses sentimentos podem afetar sua reação em situações de tensão ou que fujam ao controle. Por exemplo: se tivesse que escolher entre dois profissionais, um que reagisse com pânico, drama e negatividade diante de um obstáculo e outro que mantivesse a calma e buscasse enxergar situações difíceis de forma mais otimista ou focada na solução, quem você escolheria?

Susan David, psicóloga do corpo acadêmico da Harvard Medical School, criou o conceito de "agilidade emocional" em seu livro, em que propõe aos leitores que "abram a mente, aceitem as mudanças e prosperem na vida e no trabalho". O contraponto entre a agilidade emocional e a rigidez emocional promove diversas reflexões relacionadas à ação (ou inação) em negociações salariais.

Num trecho do livro, David afirma que as reações rígidas podem ser provenientes "da velha história autodestrutiva que você contou a si mesmo um milhão de vezes: 'sou um perdedor', 'sempre digo a coisa errada', 'sempre cedo quando chega a hora de lutar pelo que eu mereço'". Ela prossegue: "A rigidez pode ter origem no hábito absolutamente normal de pegar atalhos mentais e aceitar suposições e regras práticas que podem ter sido úteis um dia – mas que não são agora, como: 'não se pode confiar nas pessoas', 'vou me magoar'. Um número cada vez maior de pesquisas mostra que a rigidez emocional – ficarmos presos a pensamentos, sentimentos e comportamentos que não são úteis – está associada a uma gama de males psicológicos, entre eles a depressão e a ansiedade. Por outro lado, a agilidade emocional – ser flexível com seus pensamentos e sentimentos para reagir da melhor maneira possível às situações do dia a dia – é a chave para o bem-estar e o sucesso."

A autora destaca ainda que "pessoas emocionalmente ágeis compreendem que a vida nem sempre é fácil, mas continuam a agir de acordo com os valores que mais prezam e a perseguir seus grandes objetivos – aqueles de longo prazo".

Um obstáculo psicológico perigoso, relacionado à rigidez emocional, é o enredamento: aceitar pensamentos como fatos. Por exemplo: "sou bom em negociar para a empresa, mas, quando é algo para mim, não consigo", "não sou bom nisso, eu sempre estrago tudo". O problema é quando isso começa a fazer com que você evite situações em que não se considera bom e pare de tentar.

Outro obstáculo é descrito por David como "mente de macaco". A expressão vem do vocabulário da meditação e serve para definir o estado em que a mente salta de um pensamento para outro, como se estivesse pulando de galho em galho. Quando isso ocorre, começamos a imaginar o pior cenário possível e criamos roteiros na cabeça, o que consome energia, nos causa sofrimento e desperdiça tempo. Esse gatilho mental é gerado por questões do passado (não conseguir superar algo que fizeram com você ou a forma como o trataram) e pela atração do futuro ("mal posso esperar para pedir demissão e dizer tudo o que penso para meu chefe"), afastando seus pensamentos do momento atual e do que seria mais importante para a sua vida.

•

Suas expectativas em relação a você mesmo podem acabar influenciando sua atuação e seus resultados.

•

Existe um fenômeno psicológico chamado "ameaça do estereótipo" ou "vulnerabilidade do estereótipo", que se manifesta quando pessoas estão ou sentem que estão correndo o risco de se conformar com os estereótipos de seu grupo social. Desde a sua introdução na literatura acadêmica, esse se tornou um dos temas mais estudados no campo da psicologia social.

Foi demonstrado que a ameaça do estereótipo reduz o desempenho de indivíduos que pertencem a grupos negativamente estereotipados. Se existem estereótipos negativos em relação a um grupo específico, os membros do grupo são suscetíveis a se tornarem ansiosos em relação ao próprio desempenho, o que pode dificultar sua capacidade de alcançar o nível máximo de performance.

Em artigo publicado em 2008 na revista *Scientific American*, pesquisadores britânicos afirmaram que os estereótipos exercem grande influência sobre o fracasso ou sucesso dos indivíduos, não tendo necessariamente relação com a falta de talento ou competência. Usaram o exemplo de um teste de matemática feito por mulheres de origem asiática. Elas tiveram um desempenho melhor quando foram lembradas de suas origens asiáticas (pois existe o estereótipo de que asiáticos são bons em matemática) do que quando o destaque foi sua identidade feminina (já que há a visão estereotipada de que mulheres são piores que homens em matemática).

No livro *Getting (More Of) What You Want: How the Secrets of Economics & Psychology Can Help You Negotiate Anything in Business & Life* [Consiga (mais) o que você quer: Como os segredos da economia e da psicologia podem ajudar a negociar qualquer coisa nos negócios e na vida], os especialistas Margaret A. Neale e Thomas Z. Lys afirmam: "Mudar esse ciclo requer um ponto de partida – que é mudar suas expectativas em relação ao que é possível obter em uma negociação. Afinal, se você não espera receber algo relevante ao pedir, não é de surpreender que realmente não peça ou acabe pedindo substancialmente menos. Quanto mais inseguro você estiver em relação à decisão de negociar, mais inclinado estará a aceitar menos do que teria recebido se tivesse tentado."

Confie em você

Durante séculos, acreditou-se que o ser humano tomava as decisões de forma perfeitamente racional, ponderando prós e contras para escolher o caminho que traria mais benefícios. Nas últimas décadas, conceitos de psicologia foram introduzidos à área da economia, gerando o campo independente da economia comportamental. O desenvolvimento de ferramentas capazes de analisar as reações cerebrais em tempo real foi determinante para a maior aceitação de estudos que demonstram como aspectos psicológicos e comportamentais podem afetar (inconscientemente) nossa capacidade de fazer escolhas e agir.

Se você está se perguntando qual é a relação disso com a negociação salarial, a resposta é: aspectos psicológicos imperceptíveis podem criar obstáculos que o desencorajem a agir para pleitear algo a seu favor. Conheço excelentes profissionais, importantes para a empresa em que atuam, que têm grande potencial para se desenvolver e pleitear maiores responsabilidades (assim como melhores cargos e salários), mas não conseguem vislumbrar esse cenário. Acreditam que as coisas vão se encaixar naturalmente, que "a empresa está vendo seu esforço" e que em algum momento isso será recompensado. Infelizmente, acabam sendo preteridos em promoções ou essa valorização demora muito a chegar (quando chega). O tempo vai passando, vão se frustrando com a falta de reconhecimento, e o ressentimento passa a incomodar e afetar sua qualidade de vida.

No livro *Ask For It: How Women Can Use Negotiation to Get What They Really Want* [Peça: Como as mulheres podem usar a negociação para conseguir o que realmente querem], de Linda Babcock e Sara Laschever, há uma passagem interessante sobre a importância de agir e pedir algo que você deseja. As autoras citam a história de Linda, diretora do programa de ph.D. na Universidade Carnegie Mellon. Um dia, um grupo de estudantes (mulheres) da graduação foi ao escritório dela e perguntou por que a maioria dos alunos (homens) do programa dava aulas em cursos próprios, enquanto as alunas (mulheres), não. Sem saber a resposta, Linda levou a questão para o diretor responsável por decidir quem ficava à frente dos cursos. A resposta dele foi direta: "Eu tento encontrar oportunidades para qualquer estudante que me aborde com uma boa ideia de curso, capacidade de ensinar e uma proposta razoável sobre quanto o curso custaria. Mais homens me pedem. As mulheres simplesmente não me pedem." Linda ficou espantada e passou a notar que, nos seus vários anos de ensino, muito mais homens que mulheres pleiteavam coisas que os ajudavam a evoluir na carreira.

Em 2002, para testar a iniciativa das mulheres em relação aos homens, Linda pediu que uma questão fosse incluída no questionário do Departamento de Serviços de Carreira da Universidade Heinz, distribuído a todos os estudantes que concluíssem o mestrado. A pergunta era: "Você negociou sua oferta de trabalho?" Em 2002, somente 12,5% das mulheres haviam negociado suas ofertas – menos de quatro vezes o percentual dos homens (51,5%). Ela assumiu o desafio de tentar eliminar a disparidade salarial entre homens e mulheres e começou a oferecer workshops de negociação salarial direcionados especificamente para mulheres – embora os homens também fossem bem recebidos.

Em 2005, três anos depois dessa campanha, uma nova pesquisa foi realizada. Nela, 68% das mulheres haviam negociado, contra 65% dos homens – os dois gêneros estavam estatisticamente empatados. As mulheres, em média, conseguiram melhorar suas propostas iniciais em 14%, enquanto os homens conseguiram 16% – novamente, sem diferença estatística significante.

Duvidar demais de si mesmo pode ser um grande obstáculo ao crescimento na carreira, sobretudo para as mulheres. Em seu livro *Know Your Worth, Get Your Worth: Salary Negotiation for Women* [Conheça o seu valor, consiga o que você merece: Negociação salarial para mulheres], a especialista em remuneração Olivia Jaras afirma que "quando um homem vê a descrição de uma vaga de emprego e sente que pode atender a 60% dos requisitos da função, ele se candidata – com confiança. Já as mulheres raramente se candidatam a menos que acreditem atender a 90% do que é exigido pela vaga".

Mesmo que dinheiro não seja a maior prioridade, há muitos benefícios negociáveis que poderiam tornar sua vida melhor, e eles estão a poucos passos de distância. Com a preparação adequada e a coragem para pleitear o que é seu, você se sentirá cada vez mais confiante em parar de "deixar para lá" e realizado por ter conseguido – ou simplesmente por ter tentado. Como diria Theodore Roosevelt: "Faça o que puder, com o que possuir, onde estiver."

"Não entendo como me pagam um salário tão alto": A síndrome do impostor

Patrícia tem 12 anos de experiência profissional. Formou-se em administração e fez pós-graduação em finanças em grandes universidades. Ingressou no mercado no programa de trainee de uma grande empresa e passou por várias áreas, tanto nas regionais quanto no escritório central, até conseguir o cargo de coordenadora, graças à sua visão geral do negócio e facilidade em gerir pessoas.

Por essa empresa ser muito competitiva e totalmente focada em números, Patrícia concluiu que não era mais o lugar ideal para ela, e foi para outra companhia, onde atuou por dois anos na área de novos negócios, o que lhe permitiu conhecer diversas organizações e práticas de gestão diferentes.

Foi então que apareceu o primeiro grande desafio de sua carreira: participar do momento de expansão e reestruturação de outra empresa, onde já entrou como gerente de negócios, logo abaixo do diretor da área. Seu pensamento crítico, seu bom senso e sua facilidade em construir bons relacionamentos interpessoais fizeram com que estivesse sempre presente nas grandes reuniões estratégicas da empresa, interagindo diretamente com os membros do conselho.

A empresa mais do que dobrou de tamanho, ela instituiu diversos processos que melhoraram bastante a produtividade e a interação entre as áreas e, em determinado momento, acumulou inclusive a gestão de duas áreas relevantes e não relacionadas entre si. Após quatro anos nessa empresa, ela deu o segundo grande salto em sua carreira: uma posição de diretora-geral em uma empresa do mesmo ramo.

Patrícia não sabia, mas seu salário inicial no cargo representava 60% do salário do antigo diretor. No entanto, em comparação com sua experiência na outra empresa, essa proposta era mais vantajosa tanto em termos de posição quanto de salário, e ela aceitou – corretamente.

Após dois anos de atuação, a empresa se transformou completamente – para melhor. O clima organizacional passou a ser outro, o faturamento e o lucro alcançaram outro patamar, os processos e áreas foram integrados, a retenção de funcionários tornou-se maior e a curva demonstrava um potencial ainda maior de ascensão. Nesse período, Patrícia obteve um aumento salarial de 10%, e, quando conversamos pouco depois do aumento, ela me confidenciou: "Não sei como eles me pagam tanto. Não sou nada de mais. Não faço nada de especial. Apenas tomo decisões baseadas no bom senso e dou orientação para as pessoas. Não posso valer tanto." Detalhe: o antigo diretor, que ganhava mais do que ela ganha hoje, pediu demissão e sua remuneração não era um problema para os acionistas da empresa, mesmo com o patamar de lucratividade inferior ao atual.

Esse fenômeno, chamado de "síndrome do impostor" ou "experiência do impostor", é citado no livro *O poder da presença: Como a linguagem corporal pode ajudar você a aumentar sua autoconfiança e enfrentar os desafios*, da psicóloga e professora da Harvard Business School Amy Cuddy. Ela afirma que 80% das pessoas, em algum momento, têm esse sentimento de estar enganando os outros, de estar levando-os a pensar que são mais competentes do que realmente são.

Mais do que uma ansiedade relacionada à performance no trabalho, a síndrome do impostor é uma crença profunda e paralisante de que a pessoa recebeu algo que não merecia e que, em algum momento, será desmascarada. O "impostorismo" faz com que os indivíduos pensem demais e se sintam inseguros em relação às ações, gerando uma fixação sobre como os outros os estão julgando. "O impostorismo rouba nosso poder e sufoca nossa presença. Se nem você acredita que deveria estar ali, como convencerá os outros?", diz Cuddy.

CAPÍTULO 2

Entenda a cabeça do empregador

*"Podemos ignorar a realidade,
mas não podemos desconsiderar as consequências
de ignorarmos a realidade."*

— AYN RAND

Para persuadir alguém, é preciso utilizar uma linguagem e argumentos que façam sentido para o interlocutor. Apenas listar questões relacionadas ao seu ponto de vista tem pouco efeito para influenciar as decisões dos outros. Para que o gestor analise seu caso, é preciso demonstrar que você entende as dificuldades que ele enfrenta, que sabe como a empresa funciona e conhece os desafios que precisam ser superados. Uma vez que isso fique claro, você pode mostrar como a sua proposta se encaixa nesse cenário.

•

*Ao demonstrar entendimento e bom senso com
relação à realidade da empresa, importantes
barreiras entre você e seu gestor serão rompidas.*

•

Empresas são estruturas complexas, que precisam contemplar diversas variáveis para conseguir sucesso no longo prazo e sobreviver no curto prazo. Em outras palavras: empresas precisam gerir custos, potencializar vendas, ter uma margem de lucro saudável e inovar para se manterem competitivas no futuro – tudo isso sem descuidar das necessidades presentes, mantendo um ambiente motivador para atrair e reter os melhores talentos.

Segundo a Pesquisa Industrial Anual (PIA) do IBGE, os custos com gastos de pessoal na indústria equivalem a 13-15% da receita, e, por isso, as empresas costumam ter um controle rígido sobre esse número.

Além do controle financeiro, as empresas também se preocupam em manter a equidade salarial entre os cargos, evitando, assim, possíveis insatisfações geradas pelo sentimento de injustiça caso profissionais venham a descobrir que recebem menos do que outros em funções similares. Uma pesquisa da consultoria Willis Towers Watson indicou que 60% das empresas possuem processo formal para garantir justiça na distribuição da remuneração. Em alguns países, inclusive, a equidade salarial é controlada por lei.

No Brasil, a CLT prevê que, "sendo idêntica a função, a todo trabalho de igual valor, prestado ao mesmo empregador, no mesmo estabelecimento empresarial, corresponderá igual salário, sem distinção de sexo, etnia, nacionalidade ou idade". A reforma trabalhista incluiu em 2017 um parágrafo ao artigo 461 da CLT, prevendo que: "No caso de comprovada discriminação por motivo de sexo ou etnia, o juízo determinará, além do pagamento das diferenças salariais devidas, multa, em favor do empregado discriminado, no valor de 50% do limite máximo dos benefícios do Regime Geral de Previdência Social."

Para diminuir a subjetividade da decisão sobre remuneração, muitas empresas instituem planos de cargos e salários, fazendo com que os próximos passos dos funcionários sejam bem desenhados e a faixa salarial seja definida. Isso costuma motivar os funcionários, pela crença de que seus esforços e resultados serão recompensados, diminuindo a importância de decisões políticas. Vale lembrar que as faixas salariais são referências e possuem limite inferior e superior, portanto, um valor fixo inicialmente oferecido não é necessariamente um dado imutável, sem flexibilidade.

Também é importante ressaltar que existem áreas geradoras de receita, áreas de apoio e ainda outras com maior impacto nos custos. Os geradores de receita (por exemplo, equipe de vendas) precisam ter a visão clara de que a receita que trazem para a empresa é fundamental para sustentar toda a estrutura, não só para pagar o seu salário.

•

Vejo muitos vendedores repetirem o discurso do "eu me pago" para justificar um aumento salarial, mas a conta para saber se realmente "se pagam" é muito mais complexa.

•

Apesar da necessidade de controlar os custos de pessoal, há uma tendência recente das empresas em se preocuparem com sua "marca de empregador", diretamente relacionada à reputação da companhia em ser boa pagadora de salários. Essa linha de pensamento defende que a principal razão para construir uma marca forte, calcada na política de remuneração, é que isso ajuda a atrair, motivar e reter os melhores talentos, além de criar o alinhamento interno necessário para a organização ter alta performance. São mencionadas ainda vantagens adicionais, como aumento da qualidade dos candidatos em processos seletivos, maior retenção de profissionais, alinhamento entre os diversos níveis organizacionais, união dos interesses de empregado e empregador e melhoria da reputação da empresa como um todo.

O aumento faz sentido?

A primeira questão fundamental é reconhecer, honestamente, se o aumento faz sentido. As estratégias que montaremos neste livro partem do pressuposto básico de que sim, o aumento seria justo e razoável, e que a única coisa que falta é você entrar em ação e pedir. Para avaliar este ponto, é preciso que você seja honesto consigo mesmo e avalie sua atuação, respondendo às perguntas abaixo.

Você é produtivo?
Produtividade é diferente de esforço. Vejo pessoas que ficam frustradas por não receberem aumento e se sentem injustiçadas por "darem a vida no trabalho", porque se sentem eficientes e veem o reconhecimento de outros profissionais que, segundo elas, "não trabalham tanto". A dura realidade é: seu esforço não está se convertendo em resultados tangíveis que são realmente importantes para a empresa.

As empresas são muito sensíveis aos resultados atuais do funcionário para avaliar uma possibilidade de aumento ou promoção. Mesmo que seu ano anterior tenha sido espetacular, a entrega abaixo da média no trimestre atual dificultará seus objetivos.

•

Seus resultados precisam ser concretos e é preciso demonstrar que sua iniciativa, liderança ou capacidade de execução foram determinantes para alcançá-los.

•

Isso fica mais simples quando os resultados são mensuráveis, como nas áreas de vendas ou de compras, onde é fácil identificar uma variação de faturamento, de lucro ou de custos. Mas não significa que profissionais de outras áreas não possam fazer o mesmo. Melhoria de processos, simplificação de tarefas, implementação de novas iniciativas, elogios de clientes ou de outros colaboradores, tudo representa demonstração de resultados que, se bem empacotados e apresentados, podem comprovar seu valor.

Você é mediano?
O termo "medíocre" vem do latim *mediocris* – médio. Indica algo de qualidade média, comum, que não é bom nem mau. Sem expressão ou originalidade. Ordinário, irrelevante.

Para sair da mediocridade e alcançar outro patamar, sua performance e seu conhecimento precisam estar acima da média das pessoas do degrau anterior. Habilidades, não só relativas à função atual, mas também úteis a outras atividades da empresa, precisam ser inegavelmente fortes.

No livro *Por que fazemos o que fazemos: aflições vitais sobre trabalho, carreira e realização*, Mario Sergio Cortella discorre sobre o fato de só querermos fazer o que gostamos e sobre a frustração que sentimos ao executar atividades que não nos dão prazer no trabalho. Para ele, essa reflexão precisa ser mais ampla, pois "a empresa é um lugar onde posso construir uma parcela daquilo que pode me proporcionar situações de felicidade" fora dela.

Não é possível fazer só o que se gosta na vida. Sempre haverá uma parte do nosso trabalho que terá visibilidade, onde enxergaremos os frutos do nosso esforço, e outras partes mais automáticas e maçantes, que não expressam necessariamente nossas habilidades ou nosso propósito, mas que precisam ser executadas: "Para as coisas acontecerem, é preciso esforço... Para ter o resultado que eu gosto, nem sempre faço o que quero."

Faça uma avaliação sincera dos seus pontos fortes e das habilidades que precisam ser desenvolvidas e invista em aperfeiçoamento, preferencialmente em cursos de curta duração, bem focados no tema que você deseja desenvolver. A maioria das pessoas espera aparecer alguma oportunidade para começar a preencher essas lacunas de aprendizado, mas esse também é o principal motivo para essa oportunidade nunca chegar.

Os gestores têm dificuldade em projetar a capacidade de desempenho futuro de profissionais em atividades nas quais ainda não apresentaram domínio na prática. Por isso, você precisa se preparar antes, demonstrar capacidade em determinado tema, para que a oportunidade o encontre. Muitas pessoas dizem que querem crescer e evoluir na carreira, mas poucas estão dispostas a pagar o preço (em termos de esforço) para isso.

•

Aperfeiçoar-se depois que uma oportunidade aparece não é mais que obrigação. Preparar-se antes é um movimento estratégico e aumenta consideravelmente as probabilidades de sucesso.

•

Você é engajado?

Só é possível apresentar desempenho consistentemente acima da média se você estiver engajado no seu trabalho, e é nesse ponto que grande parte dos aumentos salariais deixa de se concretizar.

Uma pesquisa da empresa de recrutamento Jobvite indicou que os principais motivos reportados por profissionais que pediram demissão foram: insatisfação com o salário (30%), oportunidade de crescimento em outra empresa (16%), maior qualidade de vida (14%) e localização (11%). O principal motivo, a insatisfação salarial, que em teoria poderia ser contornado internamente, representa quase o dobro do segundo motivo, o equivalente à soma do segundo e terceiro motivos.

Curiosamente, outra pesquisa, da Gallup, demonstrou que, no mundo, a grande maioria dos profissionais não está engajada em seu emprego. No Brasil, o índice de desengajamento é de 73%. É aí que nasce um círculo vicioso. Profissionais acreditam que não são recompensados de forma justa e acabam se desengajando. Por não estarem ativamente engajados na empresa, não recebem aumento salarial e, em algum momento, são desligados (pedem demissão ou conseguem outro emprego – não necessariamente com remuneração superior, mas para escapar do "inferno" em que se encontravam), até iniciarem outro ciclo.

Quando enfatizo que você precisa *merecer* o aumento, *se destacar* em relação à média e *apresentar resultados* consistentes, é porque esses três fatores – consequências diretas do engajamento – o colocam em posição favorável. Ao fazer parte dos 27% engajados com a empresa, suas chances de concretizar um aumento salarial crescem de forma considerável.

Você é reconhecido internamente?
As pessoas o consideram especialista em sua área, recorrem a você quando têm dúvidas, consideram suas opiniões em reuniões e o convidam para desafios importantes? Em caso positivo, isso é um excelente indício de que você é candidato a uma promoção. Caso negativo, é preciso trabalhar essa questão.

•

Ser bem-visto na empresa demanda atenção às suas atitudes no dia a dia.

•

Muitos profissionais não costumam se preparar para reuniões, tanto internas quanto externas. Eles acham que o domínio das atividades cotidianas será suficiente para improvisar e reagir em qualquer cenário que envolva seu trabalho. Portanto, para se destacar em reuniões e ganhar visibilidade, dois pontos são muito importantes: preparação e iniciativa.

A preparação envolve um esforço adicional, como, por exemplo, dedicar de 5 a 15 minutos, antes das reuniões, para analisar relatórios ou se aprofundar no tema que será discutido. Você verá como isso o colocará em posição de vantagem e conhecimento sobre o tema discutido e fará com que se sinta mais seguro para dar sugestões e contribuir mais.

Já a iniciativa diz respeito a estar disponível, colocar-se em situações desconfortáveis e externar seus pensamentos. Quantas vezes você já ficou frustrado por saber a resposta para uma pergunta difícil feita em uma reunião, mas ter decidido ficar calado e acabar vendo outra pessoa responder, ser elogiada e levar os créditos? Isso é um exemplo clássico de falta de iniciativa. De nada adianta ter excelentes ideias se elas não são expostas. Não apenas você não contribui para a solução de problemas, como ninguém conseguirá avaliar seu trabalho, seu conhecimento e sua capacidade. E expressá-las depende unicamente de você.

Para ganhar visibilidade interna, vale também compartilhar notícias relevantes do seu setor com seus pares e superiores. Isso demonstra engajamento com os interesses da empresa e alinhamento com os níveis mais altos na organização. Tente se envolver em projetos que estejam surgindo, aproxime-se das pessoas responsáveis por gerir iniciativas estratégicas e desengavete projetos que você já deveria ter desenvolvido antes, mas sempre adiou.

Você é valorizado no mercado?
Profissionais relevantes de outras empresas sabem da sua existência? Muitos gestores só começam a reparar nas qualidades de seus liderados depois que pessoas de fora da empresa o fazem. Infelizmente existe uma valorização demasiada do que vem de fora e muitas vezes talentos internos acabam sendo menosprezados.

A boa notícia é que você pode usar isso a seu favor. Se a valorização não vier internamente, ela pode vir de fora para dentro.

Amplie seu networking e reveja sua presença nas redes sociais. Passe a postar mais sobre assuntos relacionados ao seu negócio e menos sobre atividades não adequadas à senioridade da posição/

nível salarial que você almeja. Faça conexões com pessoas interessantes, que agreguem conteúdo relevante. Faça comentários pertinentes em postagens, publique ideias sobre seu ramo de atuação, participe de eventos setoriais, frequente cursos e palestras.

Essa movimentação em meio a profissionais de destaque fortalecerá sua presença e terá grande potencial de direcionar os holofotes internos para você. Muito provavelmente você conhecerá pessoas ligadas ao seu gestor ou a outros profissionais de sua empresa que podem acabar fazendo um elogio chegar à sua organização, ou sua movimentação relevante nas redes sociais acabará despertando visibilidade interna indiretamente.

Uma ferramenta interessante que está sendo oferecida em alguns sites especializados e empresas de recrutamento é o cálculo do seu "índice de empregabilidade". Ela utiliza algoritmos para avaliar critérios como formação acadêmica, área de atuação, nível de aprovação do seu perfil, rede de relacionamento, faixa de remuneração, estabilidade profissional, idiomas, promoções, entre outros, comparando os dados do candidato com os de outros no mesmo segmento de atuação.

Quem é a parte forte na negociação?

Na maioria dos casos, os profissionais acreditam que a parte forte numa negociação é a empresa – por ter poder financeiro e ser, em última instância, a pagadora dos salários. Soma-se a isso a expressiva taxa de desemprego, que reforça essa imagem de desequilíbrio de forças. Mas, na prática, encontrar pessoas qualificadas é difícil e dá trabalho. A maior parte das vagas de emprego circula entre quem já está empregado ou é bem indicado.

A regra geral da negociação é: o poder está com quem possui as alternativas mais fortes, com um nível de dependência mais baixo em relação ao outro. Se sua função for estratégica, você tiver um ótimo relacionamento com clientes e pares, possuir boa combinação de habilidades técnicas com relacionamento interpessoal e não for fácil encontrar um profissional do seu nível no mercado, o poder está com você. Por outro lado, se sua função for meramente repetitiva e operacional e houver diversos profissionais capacitados para ocupar seu lugar de imediato, sem rupturas, o poder estará com a empresa, que dificilmente considerará seu aumento salarial.

•

A força para conseguir seu aumento ou promoção depende do quanto você é importante para a empresa e do quanto será difícil substituí-lo.

•

Para avaliar o impacto financeiro da substituição de um funcionário, uma pesquisa de 2016, da consultoria Willis Towers Watson, simulou as perdas geradas pelo custo da rotatividade de funcionários (*turnover*) para as empresas. Nesse custo entrariam a perda de produtividade diretamente gerada pela saída de um profissional (um novo contratado leva em média de 5 a 9 meses para atingir produtividade plena) e também as perdas indiretas de produtividade para o gestor e para outros membros da equipe. Somam-se a esse custo os gastos com contratação e treinamento e as perdas com o tempo em que a vaga fica aberta. Para um profissional de nível médio (exemplo: analista sênior), esse custo financeiro pode representar até 59% da remuneração anual total do funcionário atual.

Sua dificuldade de reposição será um fator determinante na decisão sobre a viabilidade de um aumento ou promoção. Antes de qualquer pedido, você precisa trabalhar sua importância na empresa e moldar a forma como é visto.

Vejo muita insegurança dos profissionais para pedir um aumento em momentos de crise financeira, com a taxa de desemprego na casa de 12%. Naturalmente, com esse elevado índice de desempregados, há muitos profissionais capacitados disponíveis, que aceitariam receber salários menores para retornar ao mercado de trabalho. Essa situação faz o poder tender para o lado das empresas. Entretanto, há a dificuldade natural em "garimpar" os melhores talentos e conseguir encontrar aquele que melhor se encaixe na vaga oferecida e ainda demonstre afinidade com a cultura da empresa.

Essa dificuldade é expressada tanto por diretores de empresas quanto por recrutadores. Uma pesquisa da consultoria Robert Half, realizada em dezembro de 2017, com quase 5 mil diretores-gerais e CEOs de empresas em 13 países, indicou que o Brasil é o país onde os gestores enfrentam maior dificuldade para encontrar profissionais qualificados. Impressionantes 99% dos diretores brasileiros responderam que consideram difícil contratar funcionários qualificados, sendo que 76% afirmaram sentir "muita dificuldade". Em outra pesquisa realizada pela Robert Half, dessa vez somente com recrutadores, constatou-se que apenas 20% consideraram "fácil" ou "muito fácil" contratar profissionais qualificados.

Ao analisar os índices de desemprego, também é importante ter uma visão mais profunda da situação. Nos níveis de profissionais com maior qualificação, o índice é mais baixo. De acordo com os dados da 6ª edição do Índice de Confiança Robert Half, a taxa geral de desemprego no terceiro trimestre de 2018 era de 11,9%, mas, considerando apenas profissionais com mais de 25 anos e formação superior, o percentual caía para 5,4% (menos da metade do índice total).

A partir do momento em que o profissional é selecionado após passar por um processo seletivo, os poderes se equilibram e é possível negociar, caso ele entenda que vale a pena correr o risco de não aceitar a proposta de imediato e prolongar a negociação. Caso o profissional já esteja na empresa, seja visto como relevante e tenha resultados consistentes, não enxergo fatores econômicos externos como impeditivo para o pedido de aumento salarial.

Não se assuste com a opinião de quem não conseguiu um aumento. Se você for um bom profissional, estiver entregando resultados consistentes, for aderente à cultura da empresa e conversar de forma respeitosa, considerando as limitações da companhia e tentando construir soluções para o aumento salarial de forma colaborativa, tem boas chances de conseguir e risco mínimo de sofrer alguma retaliação por isso.

Por que a empresa lhe daria um aumento?

Seria ótimo se todos os gestores e empresas reconhecessem seu real valor e fizessem promoções e aumentos ativamente em reuniões periódicas de avaliação de mérito, sem necessidade desse ciclo de pedidos e rejeições. Mas essa realidade acontece em poucos casos e não vale condicionar seu sucesso a isso.

Na última "Pesquisa dos profissionais brasileiros" divulgada pela Catho, em 2015, onde foram entrevistados mais de 23 mil profissionais em todo o Brasil, constatou-se que 70% das empresas não oferecem plano de carreira para seus funcionários. Delegar para a empresa a definição do seu rumo futuro prova-se, então, muito arriscado. Na ausência de planos estruturados, essa iniciativa acaba recaindo sobre os gestores, que estão cada vez mais atarefados, com equipes enxutas precisando entregar resultados expressivos. Decisões estratégicas sobre a carreira e a remuneração de funcionários podem acabar se perdendo na lista de prioridades.

Uma pesquisa da empresa Payscale indica que apenas 30% dos funcionários receberam aumento salarial sem precisar pedir. Por estar lendo este livro, acredito que esse não seja o seu caso. O tema é tão relevante que uma pesquisa nos Estados Unidos conduzida em 2017 pela empresa LendEDU com 1.238 empregados

perguntou do que eles abririam mão para conseguir um aumento de 10% no salário. As respostas foram curiosas:
- 73% parariam de ingerir bebida alcoólica por cinco anos.
- 53% sairiam das redes sociais por cinco anos.
- 35% abririam mão do direito ao voto pelo resto da vida.

•

Em qualquer negociação salarial haverá uma análise de três variáveis diretamente relacionadas:
1. O custo do aumento salarial.
2. O benefício que o funcionário traz para a empresa.
3. O risco que a empresa corre caso não cheguem a um acordo.

•

É fundamental pensar cuidadosamente sobre essas três variáveis para definir a estratégia correta.

Para conseguir um aumento salarial, é preciso demonstrar claramente que:
- a sua satisfação profissional decorrente do aumento traria incremento relevante de resultados e melhora na produtividade;
- existe o risco concreto de você deixar a companhia caso esse aumento não aconteça (mas deixe isso claro sem ameaçar o gestor).

As principais motivações da empresa para decidir a favor de um aumento ou promoção salarial podem ser classificadas em seis grupos:

1. Reconhecimento
Você foi identificado como um profissional relevante, com potencial para se destacar cada vez mais na empresa e ocupar

cargos estratégicos. Mesmo que não haja uma posição mais alta disponível de imediato ou que você ainda não esteja pronto para ocupá-la, a empresa buscará formas de reconhecer seu valor e mantê-lo motivado.

2. Expectativa de geração de resultados imediatos
   A empresa acredita que, ao promovê-lo ou aumentar seu salário, você entregará resultados superiores ou conseguirá manter o alto nível de serviço atual. Nesse caso, a argumentação precisa demonstrar que seus resultados são consistentes e decorrem de sua forma de atuação (não de um momento específico e favorável de mercado). Também é preciso mostrar-se apto a ampliar seu escopo de trabalho sem prejudicar os resultados atuais e ainda trazendo ganhos adicionais. Caso o caminho para a sua promoção ou aumento dependa de acrescentar à estrutura uma pessoa para executar suas tarefas anteriores, os resultados adicionais a serem gerados precisam cobrir os custos do aumento salarial desejado e a remuneração do novo funcionário.

3. Impacto no funcionamento da empresa
   A empresa o considera uma peça importante na estrutura e acredita que perdê-lo teria impactos nos resultados a curto prazo. Isso não significa necessariamente que você seja um profissional de destaque, mas pelo menos seu empregador reconhece que teria perdas com a sua possível saída. Quanto maior o impacto gerado pela sua saída no funcionamento de outras áreas, maiores serão os esforços da empresa para manter você.

4. Justiça em relação à remuneração geral
   As empresas costumam respeitar critérios de equidade entre os salários em funções semelhantes para evitar problemas de insatisfação ou conflitos entre os funcionários. Isso pode beneficiar você (caso esteja em um degrau inferior e a empresa

queira nivelar os salários) ou pode ser um obstáculo ao seu aumento (caso alcance uma remuneração desproporcional à de outros funcionários). Nesse último caso, é importante argumentar demonstrando como você se diferencia da média – para não ser comparado com ela.

5. Inércia
A empresa aceita aumentar o seu salário por não querer despender o custo e o esforço necessários para buscar outro profissional para substituí-lo. Por mais que isso pareça simples, o processo completo de substituição profissional é árduo – e fica ainda mais difícil conforme a senioridade do cargo em questão aumenta. Esse processo pode acabar sendo longo, arriscado e demandar o esforço de várias pessoas na organização, uma energia que poderia ser direcionada para a atividade-fim da empresa.

6. Proteção
Aos olhos da empresa, sua possível ida para um concorrente pode custar mais caro do que aumentar seu salário ou promovê-lo. Certas posições detêm informações estratégicas ou se relacionam diretamente com clientes-chave, e a saída de alguém nessas posições, além de impactar de forma imediata e séria os resultados da empresa, pode gerar vantagem instantânea para um concorrente. Se esse for o seu caso, o ponto positivo é que a empresa fará um esforço maior para mantê-lo. Por outro lado, ela iniciará a busca de possíveis substitutos no médio prazo para diminuir essa vulnerabilidade.

Sua estabilidade e importância para a empresa são maiores no primeiro grupo (reconhecimento) e o risco de substituição aumenta a cada nível que se sobe na escala, até o último (proteção), onde você só será mantido até que a empresa entenda que já é seguro substituí-lo.

Duas abordagens: cabo de guerra e quebra-cabeça

Já presenciei, dentro da mesma equipe, um caso da negociação salarial individual de dois analistas de níveis compatíveis, com o mesmo gerente, que tiveram resultados diferentes pela abordagem adotada por cada um. Vamos chamá-los de Marcos e Mariana.

Marcos, ao olhar com visão míope para a negociação salarial, concluiu que precisaria fazer de tudo para conseguir o maior valor possível, imaginando que o principal interesse do gestor seria pagar o mínimo possível. Essa abordagem "cabo de guerra" fez com que ele concentrasse os esforços em adotar uma postura rígida para tentar fazer valer sua vontade. Quando percebeu que a pressão não estava surtindo efeito, chegou inclusive a ameaçar procurar outro emprego. Essa atitude equivocada fez com que o gestor ficasse na defensiva e negasse qualquer aumento a Marcos só para manter sua autonomia e mostrar que ele tomava as decisões na área, que não agia sob pressão nem seria "refém de funcionários".

Já Mariana, a outra analista, adotou uma visão mais ampla da negociação. Pensou em todos os interesses que poderiam motivar a decisão do seu gestor e se esforçou para juntar as peças desse quebra-cabeça. Constatou que limitar o valor do salário, para não estourar o orçamento nem gerar muita discrepância com a remuneração dos pares, seria uma questão relevante para o gerente, mas que também poderiam existir outros objetivos em jogo, como: reduzir a rotatividade de funcionários na área, manter o nível de produtividade da equipe, evitar o ciclo de treinamento de um novo funcionário (caso perdesse um bom analista), ter bom nível de satisfação de seus funcionários-chave, entre outros.

Ao iniciar a negociação, Mariana adotou uma postura de se colocar ao lado do gestor para juntos buscarem uma solução para o "problema" da sua remuneração atual, demonstrando que tinha interesse em permanecer na empresa e assumir novas responsabilidades, desde que se sentisse valorizada e enxergasse um caminho concreto de crescimento no médio/longo prazo.

Ao concluir a negociação, o gestor me confidenciou que se sentiu aliviado por conseguir encontrar um encaixe entre um salário que fosse viável para a empresa e para a funcionária, com o benefício adicional de aumentar as chances de ela permanecer na companhia, satisfeita e no ápice da produtividade.

A lição que se tira dessa história é que os gestores empresariais precisam lidar diariamente com várias questões importantes relacionadas à atividade-fim da empresa e ao mesmo tempo têm de manter sua equipe motivada, satisfeita, com alto nível de produtividade, a um custo viável para a companhia. O valor do seu salário é apenas uma variável nessa equação.

Por mais que suas motivações pessoais e percepções o levem a acreditar que o aumento salarial é justo, a forma como você é visto na empresa e seu entendimento em relação ao modelo de tomada de decisões na companhia são essenciais para que o aumento seja realmente factível. O exercício a seguir poderá ajudá-lo a avaliar seu momento atual na empresa.

Exercício: Autoavaliação

Responda às perguntas a seguir com sinceridade:
- Você é convidado pelo seu gestor para reuniões que não estão diretamente relacionadas à sua atividade?
( ) SIM ( ) NÃO
- Seus colegas costumam lhe pedir ajuda ou conselhos sobre o trabalho quando estão com dificuldades?
( ) SIM ( ) NÃO
- Já lhe pediram para treinar novos funcionários ou participar do processo de integração de profissionais recém-contratados? ( ) SIM ( ) NÃO
- Quando surgem novos projetos na empresa, seu nome é cogitado para participar ou liderar essas iniciativas?
( ) SIM ( ) NÃO
- Você está sendo sondado por outras empresas?
( ) SIM ( ) NÃO
- Você é designado para representar sua empresa em eventos? ( ) SIM ( ) NÃO
- Sua empresa investe em cursos para seu aperfeiçoamento profissional? ( ) SIM ( ) NÃO

Caso tenha respondido "sim" a três ou menos dessas sete perguntas, tudo indica que você precisa melhorar sua importância e visibilidade na empresa. É disso que trataremos no próximo capítulo.

CAPÍTULO 3

Prepare-se para receber um aumento

"Falhar em se preparar é se preparar para falhar."
— Benjamin Franklin

Vejo muitas pessoas se preocuparem somente em tentar convencer o gestor sobre o aumento, dando pouca atenção às etapas que antecedem esse momento. Um pedido vazio, sem considerar a forma como você é visto na empresa, seu valor atual e a real viabilidade da proposta, dificilmente será concretizado. O cálculo das suas chances de sucesso passa pelo nível de preparação a que você se submeteu.

A preparação é importante para diversas atividades, sendo o esporte um bom exemplo. Ayrton Senna foi um dos precursores da preparação física na Fórmula 1. Certa vez, fez o seguinte comentário sobre o assunto: "Um piloto não pode dar o melhor de si nas primeiras quatro ou cinco voltas e depois estragar tudo, jogando fora uma boa colocação. É claro que a consistência não é apenas uma qualidade natural, mas o resultado de um longo e duro treinamento físico, que lhe dá condições de expressar o melhor de si e chegar ao final das corridas, mesmo as mais árduas, nas mesmas condições com que as iniciou." Sua preparação envolvia diversas atividades físicas e mentais, com acompanhamento de profissionais especializados. Ele estudava todas as pistas para saber os pontos exatos onde deveria frear ou acelerar mais. Antes de iniciar sua preparação física, Senna era franzino, com pouca capacidade cardiovascular. Corria 25 minutos e desmaiava. Ao longo dos anos, segundo declarou seu treinador, Nuno Cobra, tornou-se quase um atleta olímpico no quesito condicionamento, pois seguia seu método de forma "absolutamente perfeita, antes e depois do treino".

•

Colocar-se no nível necessário para obter um aumento não demanda o esforço de um atleta profissional, porém exige atenção e dedicação a detalhes que podem parecer pequenos, mas têm influência sobre a decisão da empresa em relação ao seu futuro.

•

Esteja visível

Antes de efetivamente pedir o aumento, é essencial ter começado um "período de campanha". As decisões nas empresas são normalmente tomadas com base no humor atual e nas entregas recentes. É preciso que você siga os pontos que abordei no capítulo anterior sobre reconhecimento interno e valorização externa para estar com bastante visibilidade no momento do pedido, pois assim os decisores o enxergarão no auge da produtividade e bem engajado em assuntos relevantes.

Avalie suas companhias
A apresentadora Oprah Winfrey gosta de dizer uma frase que se aplica muito bem ao ambiente corporativo: "Cerque-se apenas de pessoas que o levarão para cima." Você tem liberdade para

andar com quem quiser, mas conheça as consequências para sua carreira. Associar-se à "turma da fofoca", que se vitimiza em todas as decisões da empresa e gasta mais tempo criticando as iniciativas dos outros do que buscando soluções e projetos construtivos, não vai fazer você avançar na carreira nem conseguir salários acima da média.

Envolva (ou afaste) pessoas-chave

A decisão sobre um aumento de salário quase sempre envolve mais de uma pessoa, mesmo que indiretamente. É importante fazer um mapeamento completo dos influenciadores que podem contribuir com seu aumento (falando bem de você quando consultados, ou pelo menos não o criticando para seu gestor) e dos que podem prejudicá-lo. Podemos dividir esses influenciadores em três grupos:

1. **Influenciadores positivos diretos**

    Há pessoas que muito provavelmente serão consultadas, como por exemplo o chefe do seu chefe. É desejável que ele tenha alguma referência positiva sua, seja por um papo de elevador, por um comentário pertinente em uma reunião ou por um elogio que lhe fizeram. Muitas vezes, cinco segundos de ação bastam para causar uma boa impressão. Esteja preparado para expressar um comentário relevante quando uma oportunidade surgir.

2. **Influenciadores positivos indiretos**

    Pense em pessoas que, mesmo sem ter um voto direto sobre sua remuneração, são capazes de moldar a percepção dos tomadores de decisão a seu respeito. O cônjuge ou os filhos do seu gestor, por exemplo, com os quais você teve um breve contato em um evento social, podem comentar que você não parece confiável ou que aparenta estar 100% engajado com a empresa. Simples comentários como esses podem fazer seu gestor repensar impressões ou passar a observá-lo melhor. Parceiros de negócios que você atende diretamente e que têm acesso direto aos seus gestores também podem acabar tecendo comentários determinantes sobre a forma como você será visto. Em suma: você está em constante avaliação, tanto para o bem quanto para o mal, em todos os pontos de contato. Da mesma forma que um comentário pertinente ou uma boa impressão deixada para as pessoas certas podem ajudá-lo a avançar na carreira, o oposto também acontece. Há pessoas que perdem o emprego por pequenos deslizes.

3. Influenciadores negativos
   Tente imaginar pessoas que poderiam influenciar negativamente sua promoção, seja por motivos pessoais, seja por ainda estarem céticas com relação às suas capacidades. Se não for possível mudar essa percepção no curto prazo, tente mencionar antecipadamente, para os tomadores de decisão, que pode haver alguma objeção por parte dessas pessoas. Se possível, dê exemplos de outros casos de promoção de sucesso em que elas também desacreditaram o candidato ou de problemas de relacionamento que demonstraram com outros colaboradores. Isso fará com que esses comentários, quando feitos, sejam considerados enviesados (o que realmente parecem ser).

Desenvolva sua inteligência emocional

Daniel Goleman, importante autor sobre o tema, definiu a inteligência emocional como "a capacidade de identificar os nossos próprios sentimentos e os dos outros, de nos motivar e de gerir bem as emoções dentro de nós e nos nossos relacionamentos."

Inteligência emocional é um dos grandes pilares de profissionais de sucesso e um importante diferencial para garantir empregabilidade e avanço na carreira. Se eu tivesse de escolher entre inteligência emocional e habilidades técnicas, certamente escolheria a primeira opção. Entre dois profissionais que tenham nível técnico aceitável, aquele que possuir maior inteligência emocional sairá vencedor na grande maioria dos casos.

Segundo Travis Bradberry, autor do livro *Inteligência emocional 2.0*, a consciência social é a face da inteligência emocional voltada para o exterior. Diz respeito à capacidade de observação e reconhecimento das emoções de indivíduos e grupos. Essa habilidade nos ajuda a adequar o comportamento ao clima do momento que estamos vivenciando. É uma característica indispensável para saber se é a hora de ter uma conversa com algum interlocutor, adaptar seu discurso caso perceba que está sendo mal interpretado e conseguir manter os ânimos controlados em conversas difíceis, em que as partes envolvidas já estão nos limites das emoções.

Com o ambiente empresarial cada vez mais plural, reunindo pessoas com visões e interesses distintos e com emoções e reações difíceis de prever, a inteligência emocional se apresenta como aspecto essencial para a sobrevivência e o crescimento sustentável na carreira.

No dia a dia do escritório, é fácil identificar quem possui inteligência emocional. Quando algo dá errado, o líder que não possui essa qualidade fica nervoso, começa a culpar a todos pelos problemas, não consegue pensar em soluções e apenas grita ou se esconde (em alguma reunião ou se fechando em sua sala). Os que possuem inteligência emocional se destacam nos momentos de crise. Mesmo que tenham atuação discreta em dias normais, nos cenários de dificuldade são os primeiros a chamar para si a responsabilidade, a acalmar os envolvidos, ouvir e sugerir novas ideias, além de optar por resolver o problema em vez de achar culpados. Esses são os profissionais mais valorizados e desejados pelas empresas.

•

Para desenvolver sua inteligência emocional, é preciso trabalhar o autoconhecimento, o autocontrole, a consciência social e a gestão de relacionamentos.

•

Esse tema é bem rico e daria outro livro. Para não perdermos o foco da negociação salarial, evitarei avançar no assunto, mas sugiro que se aprofunde nesse tema, que é um pilar fundamental no desenvolvimento pessoal e profissional.

Vale a pena negociar?

Ao analisar se vale a pena negociar, é importante considerar se os custos da negociação são maiores ou menores que os possíveis ganhos decorrentes dela. No caso da negociação salarial, os benefícios financeiros são tangíveis e representativos. Já os custos ou riscos são controlados. Como gosto de mencionar, se sua postura for respeitosa e a argumentação, bem embasada, as chances de prejudicar sua posição atual na empresa são baixíssimas e o potencial de ganho é muito alto. Como citado no início do livro, a taxa de sucesso reportada para os profissionais que tentaram negociar seus salários atingiu 84%.

Segundo os empresários, o maior efeito negativo de uma tentativa de negociação salarial infundada é o gestor chegar à conclusão de que o profissional é oportunista e toma decisões apenas com base no potencial ganho financeiro imediato. Com isso, ele pode deduzir que o funcionário está na empresa apenas por ser a melhor oportunidade que conseguiu no momento (não por ter uma visão de médio/longo prazo em relação a ela) e que sairá imediatamente caso receba uma proposta com salário minimamente superior. Se esse não for o seu caso, vale reforçar na argumentação sua identificação e seu compromisso com a empresa.

O sucesso em negociações de cargos e salários depende de seis fatores essenciais:

1. Nível de comprometimento e paixão dedicados ao negócio.
2. Entrega consistente de resultados.
3. Equilíbrio entre conhecimento técnico e inteligência emocional.
4. Bom relacionamento interpessoal (com as pessoas certas).
5. Sorte (estar no lugar certo, na hora certa, preparado para aproveitar as oportunidades – ou criá-las).
6. Habilidade de negociação (estratégia e execução).

Na presença de todos os seis fatores, o sucesso é certo. Faltando um deles, bem possível (apenas mais demorado). Na ausência de dois, pouco provável.

Descubra quanto você vale

Nos primeiros anos da minha carreira, após alguns aumentos que me colocaram com um bom salário aos 24 anos, enfrentei um período de dois anos sem conseguir superar o patamar em que me encontrava, apesar da boa experiência, das sucessivas viagens internacionais que fazia a trabalho e das responsabilidades que havia assumido.

Meu pai, que tinha boa visão por já ter passado por vários cargos executivos, insistia em me dizer que eu estava sendo mal avaliado e que a única forma de descobrir meu real valor seria conversando com empresas de recrutamento, fazendo entrevistas e descobrindo quanto o mercado pagaria por mim. Qualquer tentativa de aumentar minha remuneração sem "provar meu valor" renderia aumentos inexpressivos.

Ele me enviou o texto abaixo – de autoria desconhecida –, que me fez entender a profundidade da mensagem que ele queria transmitir.

O anel – Quanto você vale?

Um jovem estudante, angustiado e desmotivado, visitou um velho professor para pedir conselhos. Desanimado e triste, contou que se sentia sempre muito mal, sem forças para fazer nada. Todos lhe diziam que ele não servia para nada, não fazia nada bem, era lerdo e idiota.

– Como posso melhorar, professor? O que posso fazer para que me valorizem mais? – perguntou.

Sem nem mesmo olhar para o jovem, o professor disse:

– Sinto muito, meu jovem, mas não posso ajudá-lo. Antes, preciso resolver o meu problema. No entanto, se você me ajudar, posso resolver este problema com mais rapidez e depois, talvez, auxiliá-lo.

A resposta do professor deixou o jovem sentindo-se ainda mais desvalorizado. Ele hesitou, mas por fim disse que ajudaria o velho.

O professor tirou um anel do dedo e deu-o ao garoto, dizendo:

– Preciso vender este anel porque tenho que pagar uma dívida. Monte no cavalo e vá até o mercado. Você precisa conseguir por ele o maior valor possível, mas não aceite menos que uma moeda de ouro. Vá e volte com a moeda o mais rápido que puder.

O jovem pegou o anel e partiu. Mal chegou ao mercado, começou a oferecê-lo aos mercadores. Eles olhavam o anel com algum interesse, até o jovem dizer quanto queria por ele. Quando mencionava uma moeda de ouro, alguns riam, outros se afastavam sem sequer olhar para o rapaz. Apenas um velhinho foi amável a ponto de explicar que uma moeda de ouro valia muito mais que um anel. Tentando ajudar o jovem, outras pessoas chegaram a oferecer uma moeda de prata e uma xícara de cobre, mas ele estava decidido a seguir as instruções de não aceitar menos que uma moeda de ouro e recusou todas as ofertas.

Depois de oferecer a joia a todos que passaram pelo mercado, sem ter conseguido a sonhada moeda de ouro, o jovem montou no cavalo e voltou, abatido pelo fracasso. Desejou ele mesmo ter uma moeda de ouro para que pudesse comprar o anel, resolver o problema do professor e poder receber ajuda e conselhos.

Ao chegar, entrou na casa e disse:

– Professor, sinto muito, mas é impossível conseguir o que me pediu. Talvez conseguisse duas ou três moedas de prata, mas não acho que seja possível enganar ninguém sobre o valor do anel.

Sorrindo, o velho mestre contestou:

– É importante o que disse, meu jovem. *Devemos saber primeiro o valor do anel*. Volte a montar no cavalo e vá até o joalheiro. Quem melhor do que ele para saber o valor exato do anel? Diga que quer vendê-lo e pergunte quanto pagaria por ele. Mas, atenção: não importa quanto ele ofereça, não o venda! Volte com meu anel.

Intrigado com as novas instruções, o jovem foi até o joalheiro. Lá chegando, deu ao homem o anel para que o examinasse. O joalheiro pegou uma lupa, pesou-o e disse:

– Diga ao seu professor que, se ele quiser vender agora, não posso dar mais que 58 moedas de ouro pelo anel.

O jovem, surpreso, exclamou:

– Cinquenta e oito MOEDAS DE OURO!!!

– Sim – replicou o joalheiro. – Se tivesse mais tempo, poderia oferecer cerca de 70 moedas, mas se a venda é urgente...

O jovem galopou emocionado de volta para a casa do professor para contar o sucedido. Depois de ouvir tudo, o mestre lhe disse:

– Você é como este anel, uma joia valiosa e única, que só deve ser avaliada por um especialista. Não é qualquer pessoa que tem condições de dizer seu valor.

E, com isso, voltou a colocar o anel no dedo.

Para saber se realmente tem um problema de baixa remuneração, você precisa de informações concretas e confiáveis, não de suposições. É necessário ter referências – você ganha pouco comparado a quê? Nessa busca, há dois critérios principais a considerar.

A primeira comparação deve ser baseada em critérios *objetivos*: nível de experiência, formação, cargo, tamanho da empresa e local de trabalho. De posse desses dados, parte-se para a segunda análise, o critério de performance: quão destacados são seus resultados em relação aos seus pares ou em relação à sua meta. Caso não tenha meta, a comparação pode ser feita com os resultados do ano anterior (ou de outro período) ou apenas com a menção a entregas adicionais que você tenha gerado.

Os dados resultantes da comparação em critérios objetivos podem levar a uma das seguintes conclusões:
- a) Você ganha menos do que seus pares na mesma empresa.
- b) Você está abaixo da média de remuneração de profissionais com experiência e cargos similares em outras empresas do mesmo setor.
- c) Você já está no topo salarial da categoria. Nesse caso, se mesmo assim ainda estiver insatisfeito, é necessário empreender uma mudança mais brusca na carreira para alcançar o patamar de remuneração desejado.

Os dados resultantes da comparação em critérios de performance devem ser usados para complementar a argumentação sobre critérios objetivos (que por si só já dariam um bom embasamento para a discussão salarial) ou para justificar uma remuneração acima da média.

Uma boa fonte são pesquisas de remuneração, disponibilizadas gratuitamente na internet por empresas de recrutamento ou publicadas por revistas especializadas. Mesmo que não sejam 100% precisas, refletem com boa margem de acerto patamares de remuneração para cargos de diferentes setores, em empresas de pequeno, médio e grande porte. Há também sites, como o glassdoor.com e payscale.com, que informam os salários específicos dos cargos em diferentes empresas com base em informações dadas pelos próprios profissionais. São ferramentas muito valiosas.

Uma pesquisa de 2016 da WTW concluiu que um em cada seis funcionários recorre a pesquisas on-line para embasar suas negociações salariais. Outra fonte são os colegas. Por mais que para muitas pessoas falar sobre remuneração seja um tabu (eu também não me sinto confortável em falar quanto ganho), muitos profissionais comentam livremente sobre o assunto e isso pode render boas referências.

•

O embasamento é importante para analisar se sua compensação é justa, porque nossa percepção pode ser traiçoeira e enviesada.

•

Um estudo do site PayScale, realizado com 71 mil profissionais, indicou que há grande discrepância entre a forma como os profissionais são remunerados e como eles acreditam que estão em relação ao mercado:

- Consultando pessoas que são remuneradas acima da média (as bem pagas), 80% acreditavam que recebiam um salário na média ou abaixo do valor de mercado para sua função.
- Ao consultar as que recebiam na média do mercado, 64% acreditavam que eram mal remuneradas e recebiam abaixo do valor médio de sua função.
- Das que eram mal remuneradas (estavam abaixo da média), 17% acreditavam que estavam na média ou acima dela.

Outra vantagem de ter curiosidade sobre seu real valor de mercado e pesquisar efetivamente é que isso pode ser o impulso que faltava para você tomar uma atitude e resolver essa questão. Podemos ficar acomodados por não ter certeza de que realmente estamos sendo "injustiçados", mas a resposta objetiva a essa dúvida costuma gerar inconformismo e reação.

Um exemplo notório disso aconteceu com os atores da famosa série *The Crown*, sobre a família real britânica, exibida pela

Netflix. A protagonista das duas primeiras temporadas da série, a atriz Claire Foy, que recebera premiações individuais pela sua interpretação da rainha Elizabeth, como o Globo de Ouro e prêmios do sindicato dos atores, acreditava ser remunerada de forma justa. Para surpresa geral, foi divulgado que o ator coadjuvante Matt Smith, o príncipe Phillip na série, que não recebera prêmios, ganhava consideravelmente mais do que ela, com diferença estimada em 13 mil libras por episódio (estima-se que a diferença total acumulada no período tenha passado de 200 mil libras). Isso gerou grande discussão, fazendo com que os produtores da série se desculpassem pela diferença e dissessem que retificariam o erro no futuro.

Para muitos, a discrepância na remuneração dos dois atores foi causada pelo preconceito de gênero. Para outros, a diferença se deu porque Smith fora convidado para a série após atuar por seis anos em uma das séries mais populares do Reino Unido, o que lhe deixou em vantagem para a negociação inicial. Seja como for, ciente dos "critérios objetivos" – remuneração abaixo da média para funções similares ou até superior, já que era a protagonista –, Claire Foy foi impelida a negociar. Se resolvesse usar o "critério de performance" – seus prêmios por atuação, em contraste com o outro ator –, ela também poderia ter tido sucesso na negociação para rever o valor do contrato. Recentemente ela comentou sobre a situação: "Eu me dei conta, logo cedo, que me calar ou não pensar sobre isso seria prejudicial para mim e para várias outras pessoas. Isso me ensinou muito, e ainda estou aprendendo."

Para refletir se vale analisar objetivamente sua remuneração, apresento a seguir um exercício para observar sinais de que você pode estar sendo mal remunerado.

Exercício: Sinais de subvalorização

Identifique sinais de que você possa estar sendo subvalorizado.

- Você teve oportunidade de negociar o salário quando foi contratado? ( ) SIM ( ) NÃO
- Seus únicos aumentos salariais foram os dissídios anuais? ( ) SIM ( ) NÃO
- Sua empresa tem alta taxa de rotatividade de funcionários? ( ) SIM ( ) NÃO
- Suas responsabilidades cresceram, mas o salário não? ( ) SIM ( ) NÃO
- Você é especialista em algum ramo que não era demandado anteriormente, mas está em alta atualmente? ( ) SIM ( ) NÃO
- Sua empresa aumentou de tamanho rapidamente e várias pessoas foram contratadas? ( ) SIM ( ) NÃO
- Seu gestor é evasivo quando você tenta conversar sobre os próximos passos da sua carreira? ( ) SIM ( ) NÃO

Se você respondeu "sim" a mais do que três das sete perguntas, possivelmente não alcançou todo o seu potencial de remuneração.

Manifesto – Vá buscar o que é seu!

Antes de montar sua estratégia e partir para a ação, é essencial que você assuma o real compromisso de sair da inércia, apresentar o caso e buscar o que é seu.

Preencha o termo abaixo com seu nome, assine-o e mantenha-o em local visível para se lembrar dos cinco compromissos durante o processo de negociação.

Eu, _____,
me comprometo a honrar os cinco compromissos do manifesto de negociação salarial para buscar o que eu mereço e mudar meu padrão de vida.

1. Não me acomodarei nem buscarei desculpas para justificar minha inércia.
   O aumento salarial é um meio direto de melhorar o padrão de vida, aproximando você de seus sonhos e contribuindo para o bem-estar de sua família. Os benefícios que ele gera são indiscutivelmente maiores do que o esforço e o estresse causados pela campanha de conquistá-lo. Caso discorde disso, reflita, pois seu cérebro pode estar sabotando você.

2. Serei honesto comigo mesmo. Buscarei capacitação e me esforçarei mais se necessário.
   Pode ser que você ainda não mereça realmente o aumento e precise dar alguns passos antes de iniciar essa busca. Fazer uma avaliação sincera dos pontos que precisa melhorar é essencial para iniciar a jornada.

3. Farei uma preparação completa para embasar meu pedido.
   As pessoas ficam ansiosas para pedir logo o aumento, para se livrar desse "problema" de negociar, e acabam entrando

na negociação despreparadas, reduzindo assim as chances de sucesso. A preparação é uma etapa indispensável para conquistar seu objetivo.

4. Não cairei na tentação de rebater meu gestor de forma agressiva e perder o controle das minhas emoções.
Não se conquista um aumento salarial com agressividade. Lembre-se de que o gestor precisa ter razões objetivas para defender seu aumento sem se sentir ameaçado e estando seguro de que o ambiente continuará saudável após fazê-lo.

5. Não me intimidarei com o primeiro "NÃO".
A negociação salarial tem várias etapas. Já sabendo disso, não há motivo para desanimar com o primeiro "não" – que provavelmente vai receber. Encare isso como uma etapa do processo e siga firme no propósito para revertê-lo estrategicamente.

ASSINATURA

CAPÍTULO 4

Monte uma estratégia eficaz

"Esperança não é uma estratégia."
– Pensamento atribuído a Vince Lombardi

Os grandes negociadores não encaram a negociação como algo estático e fazem muito mais do que simplesmente colocar as cartas na mesa e esperar que isso seja suficiente. Eles agem fora da mesa de negociação, configurando a situação de forma mais vantajosa, através do mapeamento das partes envolvidas, da abordagem de cada uma na sequência correta, da construção de coalizões, da tomada de iniciativa e da influência sobre os tópicos que serão tratados. Trabalhando com as expectativas de cada um, conseguem orquestrar – fora da mesa – as possíveis consequências em caso de não acordo para depois retomarem a negociação propriamente dita. Essa visão, com a qual concordo, é defendida com profundidade no livro *Negociação 3-D – Ferramentas poderosas para modificar o jogo nas suas negociações*, dos autores David Lax e James Sebenius (que foi meu professor na Harvard Business School).

Antes de negociar o aumento em si, é extremamente importante traçar sua estratégia. Se você tem a visão simplista de que esse é um assunto apenas entre você e seu chefe e que será resolvido em uma única conversa, lamento informar que terá poucas chances de sucesso.

A etapa inicial na elaboração de sua estratégia é refletir sobre todas as partes influentes que podem estar envolvidas ou interessadas no processo decisório do seu aumento por serem afetadas de alguma forma.

Com quem negociar?

Saber quem precisa ser abordado para a negociação salarial é uma decisão importante no processo. Há três caminhos possíveis.

1. Abordar seu chefe direto
   Negociar diretamente com seu chefe é o caminho mais seguro, pois ele o conhece bem, deve ser o principal beneficiado por sua entrada/permanência na empresa e tem condições de defendê-lo melhor perante outros tomadores de decisão. Ele também deve estar mais disposto a aceitar formatos especiais que um gerente de RH possivelmente negaria para não abrir exceções em políticas gerais da empresa.
   É preciso, porém, tentar entender como ele pensa e conhecer seu histórico, seus interesses e motivações. Caso seu chefe seja uma pessoa muito difícil, se sinta ameaçado (por pensar que no futuro você pode acabar sendo concorrente dele em busca de uma posição mais elevada) ou seja do tipo que prefere perder um funcionário para não se envolver em algum conflito com a alta cúpula, pode ser necessário recorrer a táticas mais arriscadas.

2. Conversar com o gerente de recursos humanos
   Caso seu chefe se sinta ameaçado por você, qualquer conversa com ele sobre ambições por grandes cargos pode ter efeito negativo. Já com o gestor de RH o efeito pode ser positivo, pois demonstraria seu interesse em crescer na empresa e contribuir

com mais resultados. A ausência de disposição do chefe para pleitear algo para os funcionários por questões políticas também seria um assunto passível de conversa direta com o RH.

Considere que essa conversa com a área de recursos humanos é equivalente a uma "denúncia na ouvidoria" e, portanto, tenha muito cuidado em relação à confidencialidade do que for discutido. Conduza a conversa no sentido de pedir um conselho sobre a melhor forma de resolver a questão, sem incluir queixas de desavenças com seu chefe ou questões emocionais. Foque na argumentação sobre como os interesses da empresa estão sendo afetados pela postura do seu gestor.

3. Acionar gestores superiores ao seu chefe
Conhecido no jargão empresarial como *bypass*, significa "pular" seu chefe e conversar diretamente com líderes em posição mais alta na hierarquia. É um movimento muito arriscado e só deve ser utilizado como último recurso, já que quebra a relação de confiança com seu chefe. Além disso, não ignore a possibilidade de os líderes da cúpula da organização quererem preservar seu chefe, mesmo que isso represente uma possível injustiça com você.

Apesar de a abordagem número dois (falar com o gestor de RH) também ser uma estratégia arriscada, ela ainda tem a vantagem de deixar margem para justificativa. Você sempre pode dizer que foi se aconselhar em uma área "neutra" da empresa por não se sentir confortável em ter essa conversa com seu gestor. Já *bypassar* o chefe é uma atitude quase injustificável. Eu só indicaria esse caminho se você não tiver confiança suficiente na equipe de RH e contar com uma ligação próxima, de confiança, com os líderes acima de seu chefe, que justifique "compartilhar esse problema" que está enfrentando.

Reforço que essa abordagem alternativa ao seu chefe deve ser feita de forma muito criteriosa, considerando que você confie bastante em quem vai abordar (seja gestor de RH, diretor, presidente). Além disso, sua postura deve seguir mais na linha de dividir o problema por ter interesse em crescer/ permanecer na empresa e estar em uma situação insustentável do que de se sentar para negociar com eles.

Usando promotores para sua ideia

Paulo trabalha em uma grande indústria há seis anos. Entrou como gerente de logística e dois anos depois acumulou a gerência da cadeia de suprimentos – uma área crítica ao funcionamento da empresa –, sempre desempenhando seu papel com segurança, reduzindo custos e obtendo a confiança da diretoria.

Por questões práticas, as duas gerências ficam abaixo do diretor industrial, mas, na estrutura atual, esse desenho já não faz sentido, e a área de cadeia de suprimentos deveria ser independente ou vinculada ao diretor-geral. Paulo tem bastante autonomia para tomar a maioria das decisões, mas, em questões maiores, precisa explicar todo o processo para seu diretor – que não tem conhecimento profundo sobre a área – para obter aprovação. Isso causa frustração e queda de produtividade, atrasando o processo decisório.

O diretor industrial já tem mais de 70 anos e, nos últimos tempos, vem comentando informalmente que gostaria de reduzir sua carga de trabalho. Na prática, no entanto, não demonstra isso: delega pouco e gosta que tudo passe por ele.

Paulo acredita firmemente que tornar a área da cadeia de suprimentos independente seria o melhor movimento para a empresa e já ouviu comentários informais do diretor-geral nesse sentido, mas está em dúvida sobre o que fazer. Pensou em conversar com o diretor industrial sobre o tema, mas ele é muito resistente a mudanças e já disse em várias ocasiões que "em time que está ganhando não se mexe". Paulo sabe que só tem uma chance e que, se falar com o diretor industrial e a resposta for negativa, não terá como acionar outros diretores sem causar danos ao relacionamento com ele.

Analisando o cenário, Paulo decidiu ter uma conversa informal com o diretor-geral, para entender como ele enxerga seu momento na empresa e a estrutura atual. Durante essa conversa, Paulo entendeu que o diretor-geral realmente confia no trabalho dele e espera contar com ele para o futuro da empresa, mas não vê possibilidades de aumento na estrutura atual, pois seu salário já está no topo da faixa salarial dos outros gerentes.

Paulo então apresentou sua visão sobre a necessidade de independência da área de cadeia de suprimentos, demonstrando os ganhos de produtividade e de transparência que obteriam. Mostrou também que não seria necessário promovê-lo a diretor para isso, já que um cargo de superintendência, reportando-se diretamente ao diretor-geral, atenderia bem às suas necessidades. Compartilhou também a percepção de que essa ideia só seria viável caso partisse do diretor-geral. Se a ideia partisse de Paulo, seria muito difícil contornar uma possível objeção, pois levantaria questões emocionais de defesa da autonomia e colocaria o diretor industrial na defensiva.

O diretor-geral comprou a ideia, assumiu o compromisso de executá-la e, depois de três meses "amaciando" o diretor industrial e usando o próprio argumento dele, de que queria reduzir a carga de trabalho, conseguiu convencê-lo e promoveram – juntos – Paulo a superintendente da área (agora autônoma) da cadeia de suprimentos.

Nesse caso, além da questão de mapear os envolvidos e seus interesses, houve também o uso de uma importante "arma de persuasão": a necessidade humana de manter a coerência. Como afirma Robert Cialdini, especialista em persuasão e autor de livros sobre o assunto: "Depois que fazemos uma opção ou tomamos uma posição, nos deparamos com pressões pessoais e interpessoais exigindo que nos comportemos segundo esse compromisso." O fato de constantemente dizer que queria reduzir sua carga de trabalho seria inconsistente com a negação da ideia de que uma área, que nem deveria mais continuar sob sua responsabilidade, fosse mantida na sua estrutura. Isso gerou para o diretor industrial uma grande pressão por ser coerente com seu discurso e aceitar essa sugestão do diretor-geral.

Existe momento certo para pedir o aumento?

Existe momento errado. Os outros todos são certos. Por ser uma atividade desconfortável e não prazerosa, as pessoas costumam adiar esse momento de negociação e ficam buscando qualquer motivo para justificar o adiamento. Para estarem bem consigo mesmas, aceitam as desculpas internas que criaram: "meu chefe está em uma fase difícil, não dá para tocar nesse assunto agora", "a empresa está sem clima para isso", "se eles não deram aumento para aquele outro colega, não adianta nem tentar", entre outras.

Não se sabote, aceitando ficar nessa zona de conforto. A negociação pode deixá-lo ansioso, mas tente mentalizar os benefícios que um salário mais alto traria para a sua vida e a da sua família. Certamente são maiores do que se poupar de algumas conversas tensas, que podem até ser menos desconfortáveis, dependendo da abordagem. Muitas pessoas buscam qualquer motivo como justificativa para evitar essa negociação e assim poderem seguir a vida sem sentir a pressão interna de que deveriam ter agido.

Obviamente existem momentos específicos (e de curta duração) que são desfavoráveis, por direcionarem toda a atenção da empresa para algum outro assunto. Por exemplo, mês de convenção, época de demissão em massa, anúncio de resultado negativo, notícia negativa sobre a empresa na mídia, logo após retorno de férias ou licença. Mas a empresa sempre "segue em frente" e o cotidiano volta ao normal em poucos dias.

Um exemplo de momento pouco propício para falar sobre aumento é logo depois de a empresa ter fechado o orçamento do ano seguinte. Como este é um processo que depende da aprovação de várias pessoas, o gestor será desestimulado a reabrir a discussão sobre o orçamento ou já descumpri-lo pouco tempo depois de ele ter sido validado. Isso faz com que boas janelas de oportunidade se abram pouco antes do orçamento ou durante o período em que ele está sendo discutido.

Também não é indicado pedir um aumento se você está na empresa ou no cargo há menos de um ano. Isso pode ser visto como sinal de ansiedade. As chances de conseguir são poucas e você ainda dificulta a retomada do assunto meses depois, quando seria o momento correto de fazer a primeira investida. Se voltar ao assunto, você já será visto como insistente. Acredito que só haja possibilidade de conseguir um aumento com menos de um ano de casa caso seus resultados sejam extraordinários e consistentes ou haja um processo de avaliação de desempenho (momento em geral mais propício para a discussão de remuneração) pouco antes de você completar um ano na função.

Um bom "gancho" para entrar no assunto da sua remuneração pode ser logo após você fechar um grande negócio, realizar um importante evento ou apresentar algum resultado representativo. O ganho gerado estará vivo na cabeça do gestor, aumentando a chance de ele considerar seu caso favoravelmente. Esse fenômeno é ligado ao que o psicólogo Daniel Kahneman chama, no livro *Rápido e devagar*, de "efeito psicológico da heurística de disponibilidade": a tendência a considerar como mais frequentes os fatos recentes ou que estão mais frescos em nossa realidade. Assim, ao analisar seu pleito salarial após um bom resultado, o gestor tende a relembrar outros momentos em que você apresentou outros bons resultados. Da mesma forma, ao ter um resultado ruim, outros momentos de fracasso estarão mais vivos na mente do gestor do que os de sucesso.

•

O importante é não protelar indefinidamente a decisão de pedir aumento. Costumo dizer que o melhor momento para tentar foi ontem e o segundo melhor é hoje.

•

Se você for esperar uma temporada em que tudo esteja dando certo, não existam incêndios para apagar e o clima esteja excepcional, pode ser que essa hora nunca chegue. E é bem possível que muitos outros colegas de trabalho também queiram pedir aumento em um momento positivo desses, o que diminuiria suas chances. De qualquer forma, atentar para esses momentos especiais citados aumenta suas chances de sucesso.

Pegar o chefe desprevenido ou agendar a conversa?

A negociação salarial é a típica situação em que o ideal é que a outra parte esteja preparada ou já venha refletindo sobre o tema e tenha algumas percepções para compartilhar. Quando as pessoas não têm oportunidade de pensar efetivamente sobre uma proposta ou assunto, a tendência é que digam "não". Essa negativa é, na verdade, uma defesa para nos proteger de tomar decisões ruins e impensadas. Quando não sabemos ao certo o que fazer, o "não" é a resposta mais prática e segura que vem à cabeça. Ao ser pego desprevenido, há grandes chances de seu chefe dizer rapidamente que não dá para pensar em aumento agora e, provavelmente, dar alguma justificativa genérica. Como no início da conversa você deve estar inseguro em relação ao pedido, um "não" em alto e bom som acabará diminuindo suas chances de conduzi-la com sucesso.

•

Tenha em mente que seu aumento terá impacto no fluxo de caixa da empresa e que o gestor precisa estar bem convencido da ideia. É uma decisão séria, com vários desdobramentos e que não pode ser tomada por impulso.

•

Por isso, peça a reunião! Diga, de forma séria e assertiva: "Queria agendar uma conversa com você, para falar sobre meu momento na empresa. Você tem 20 minutos esta semana?" Não diga algo como: "Mas fique tranquilo que não é nada grave nem corro risco de sair da empresa." Um pouco de suspense antes da conversa, gerando no gestor um pequeno medo interior de perder você, pode ter efeito positivo.

A conversa em si precisa ser presencial. Por insegurança, muitas pessoas preferem que a negociação seja por mensagem ou e-mail, mas você perde muito da comunicação. Diversos estudos indicam que um baixo percentual da comunicação é apenas verbal, ou seja, o que efetivamente dizemos. Grande parte do que comunicamos se refere à postura, à linguagem corporal, ao tom e volume da voz. Ao abrir mão de todas essas formas de comunicação, você pode ser mal interpretado sem ter a chance de corrigir a tempo o que quis dizer, ou pode não conseguir identificar o que seu interlocutor está querendo dizer. O que você pode fazer é apenas agendar a conversa por e-mail ou mensagem e conduzi-la presencialmente.

Negociar de forma sequencial ou paralela?

Muitas pessoas ficam em dúvida sobre como colocar várias demandas na negociação. Não sabem se o ideal é negociar uma de cada vez (à medida que consegue avançar em um ponto, solicita o outro) ou colocar todas as demandas ao mesmo tempo.

Considero mais eficaz apresentar seus pedidos ao mesmo tempo, indicando quais são mais importantes e quais são complementares. Dessa forma, você consegue navegar bem por eles, equilibrando o peso de cada um, fazendo compensações imediatas, com menos chances de chegar a um impasse.

Ao colocar as propostas uma a uma, em sequência, é provável que você gere má vontade no interlocutor, que acaba ficando incomodado com demandas intermináveis e se coloca na defensiva por não saber quando esses pedidos vão acabar. Isso gera maior tendência ao impasse, já que, ao disputar sobre variáveis únicas, fica muito mais difícil equilibrar interesses ou retomar itens que já foram aprovados.

Priorizar seus interesses

Antes da negociação, é importante fazer o exercício de priorizar seus interesses, ordenando o que para você é essencial, importante ou apenas desejável. Sem fazer essa priorização, acabamos tratando tudo da mesma forma na mesa de negociação e, no calor do momento, "brigamos" demais por algo de pouca importância, inviabilizando um acordo, ou deixamos de colocar energia em algo que seria essencial.

Uma boa forma de conseguir discutir questões relevantes sem compartilhar informações que o deixem vulnerável é indicar de forma geral o que você mais valoriza na negociação. Por exemplo: "No momento atual da minha carreira, o salário nominal seria uma prioridade, mesmo que tenha que me mudar de cidade ou trabalhar mais horas", ou "Atualmente, o que mais busco é equilíbrio e flexibilidade". Isso dará o tom da negociação e fará o gestor pensar em alternativas para oferecer mais itens essenciais para você, sabendo que poderá compensar em "outras linhas".

Segundo o professor Adam Grant, da Universidade Wharton: "Ordenar seus interesses é uma forma poderosa de ajudar o interlocutor a entendê-los sem passar informações demais. Você então pode pedir que ele também indique as próprias prioridades, para juntos vocês buscarem oportunidades de trocas com benefício mútuo: os dois lados ganham nos pontos que valorizam mais."[4]

Mais vale obter apenas os itens essenciais do que 50% de todos os itens. A estratégia simplista de negociar o meio-termo, apesar de justa, não é inteligente, porque deixa de explorar os potenciais benefícios para ambos, decorrentes do diferente nível de importância que cada um dá para determinado ponto. Por exemplo: dois dias de folga a mais no ano, para poder passar o dia do ani-

---

[4] https://www.businessinsider.com/bad-habits-of-good-negotiators-2013-6.

versário dos seus filhos com eles, valem muito mais para você do que para a empresa.

Embasar sua argumentação com dados

Ao questionar profissionais sobre quanto suas realizações estão claras na mente dos gestores, as respostas mais comuns que ouço são "ele sabe", "não há como não saber" ou "eu disse para ele". A conclusão que extraio de cada uma dessas respostas é: os resultados diretos que você trouxe para a empresa não estão claros o suficiente. Consolidar seus dados em uma breve apresentação a ser entregue ou demonstrada para seu chefe é mais marcante do que simplesmente mencionar brevemente suas realizações ou supor que ele saiba.

•

Uma argumentação baseada em dados ou fatos tem muito mais poder de convencimento do que aquela que se baseia em crenças e convicções.

•

Quanto mais subjetiva for a conversa sobre o seu aumento salarial, menores as chances de sucesso. A discussão giraria em torno de atitudes, sentimentos, percepções vagas ou generalizações, que pouco contribuiriam para o sucesso da sua negociação.

Prepare-se antecipadamente com o seguinte checklist:
- Busque informações sobre salários em empresas do mesmo porte ou segmento, em pesquisas anuais de remuneração, sites especializados ou conversas com colegas.
- Liste suas realizações no último ano e os benefícios que trouxeram para a empresa. Em geral, acabamos

produzindo muito no dia a dia e não nos damos conta da importância de nossas ações. Ao olhar em retrospectiva, muitas vezes nos surpreendemos com a quantidade de atividades relevantes que fazemos.
- Tente estabelecer a correlação entre a sua performance individual e os resultados coletivos (da sua área ou da empresa), indicando também como sua forma de atuação contribuiu para os resultados – isso demonstra que você pode repeti-los com consistência.
- Faça uma lista de investimentos que você realizou para adquirir conhecimento útil para a empresa, como cursos, eventos ou reconhecimento que tenha recebido.
- Organize o discurso para mencionar seu histórico na empresa (quando entrou, variações de salário e mudanças de cargo que teve desde então). As pessoas consideram que o gestor está ciente de todas essas informações, mas em geral esse histórico não está tão claro para ele).

Apesar de sua linha de argumentação precisar ser objetiva, não há problema em compartilhar sentimentos em relação a percepções específicas que você tenha sobre a situação atual. Por exemplo: "Eu me sinto subutilizado ou desvalorizado, por não ser escolhido para novos projetos." A forma como você se sente é geralmente aceita, já que é difícil julgar sentimentos. Mesmo que isso não seja uma verdade absoluta, essa é a forma como você se sentiu e deve ser respeitada. Abrir o assunto dizendo "O ambiente aqui não é justo e outros são privilegiados" pode até ser verdade, mas não é a melhor estratégia, já que a discussão terá menos chances de ser franca e aberta, por você estar colocando seu gestor na defensiva.

Alguns critérios subjetivos podem ser utilizados para *complementar* a argumentação objetiva. Iniciativas que você promoveu, o nível de motivação da sua equipe (se for gestor), organização de processos, estruturação da área, confiabilidade que demonstrou em meio a processos turbulentos, iniciativa diante de uma crise são questões que, combinadas com números concretos, podem contar pontos para seu aumento.

A argumentação baseada em motivos pessoais – dizer que você precisa de dinheiro para "poder viajar mais", "para morar melhor" ou "porque minha esposa não trabalha" – é mais frágil e costuma ser facilmente contestada, pois foca em questões suas, que não são compartilhadas nem sentidas pelo gestor, além de não oferecerem incentivo para que ele justifique o aumento na empresa. Você pode acabar sendo tachado de "não profissional" ou "sem noção".

Praticar sua abordagem

Praticar seu discurso com uma pessoa de confiança é uma boa forma de encontrar inconsistências e avaliar quais argumentos teriam mais força. Como você estará muito imerso nos dados e informações que pesquisou, uma visão externa pode apontar falhas ou demonstrar dúvidas sobre pontos que você considera muito claros.

Já pratiquei esse exercício diversas vezes, tanto testando meu discurso quanto fazendo o papel de conselheiro. Certa vez um colega – gerente de uma grande empresa – apresentou seu caso em uma conversa informal comigo, listando vários bons argumentos, mas em determinado momento ele disse que considerava envolver outros dois gerentes de área para ganhar força junto à empresa. Mostrei para ele quão arriscada era essa tática, já que os três possuem experiência, resultados e imagens diferentes na visão da empresa, e o simples fato de a companhia considerar que um deles não merecia já inviabilizaria o aumento dos três. Se ele não tivesse testado seu discurso, certamente teria fracassado em sua tentativa.

Para que essa "prática" seja produtiva, é melhor não fazer dela uma simulação, como se ambos fossem atores e estivessem representando seus papéis. Certamente, se fizer isso, o cenário ficará artificial demais e vocês dividirão a concentração entre atuar e analisar a estratégia. Tenha uma conversa natural, contando para essa pessoa como você pretende abordar o gestor, indicando quais argumentos pretende usar e por que acha que são os melhores. Contextualize também seu momento na empresa, sua relação com os colegas e o perfil do seu gestor, para que a análise seja mais precisa.

Exercício: Quem? Quando? O quê?

Use este guia para começar a delinear a sua estratégia.

QUEM?
Além do seu gestor direto, quem mais pode ser envolvido na decisão sobre seu salário?
- Gestor da área
- Dono da empresa
- Comitê de remuneração
- Gerente de RH
- Outros (listar)

Quem poderia influenciar negativamente seu aumento ou ser um impeditivo para que ele aconteça?
- Gestor direto
- Gestor da área
- Gestores de outras áreas
- Seus pares
- Dono da empresa
- Subordinados

Ao identificar com clareza quem são os envolvidos ou influenciadores dessa decisão, defina se o melhor caminho é conversar com os envolvidos ou contar com a ajuda de apoiadores para promover sua ideia. Você também pode compartilhar com eles as dificuldades que imagina encontrar com os potenciais bloqueadores, para que juntos discutam como superar esses obstáculos.

QUANDO?
Identifique na lista a seguir o momento que está vivenciando para decidir se é adequado ou não para agir.

Momentos impróprios:
- Antes de algum importante evento programado na empresa, envolvendo diversas áreas e com seu gestor envolvido na organização.
- Semanas depois de uma demissão em massa.
- Após a divulgação na mídia de alguma notícia ruim envolvendo sua empresa.
- Antes ou logo após o período de férias do seu gestor ou do seu.

Momentos mais propícios:
- Durante o ciclo de definição de orçamento anual da empresa.
- Na rodada de avaliação ou feedback.
- Após o fechamento de um grande negócio.
- Após a apresentação de resultados – de um bom período.
- Após cumprir uma tarefa especialmente difícil.

O QUÊ?

Há muitos itens que podem ser negociados, e o bem-estar que podem lhe causar depende do quanto você valoriza cada questão no momento atual da sua carreira.

Reflita objetivamente sobre seus interesses e tente priorizá-los, listando o que seria essencial, importante ou apenas desejável.

É preciso investir mais energia na busca dos itens essenciais – e evitar fechar um acordo que não os contemple. Os itens importantes precisam ser considerados na negociação, mas não é necessário conquistar todos eles. Já os desejáveis são acessórios, e sua ausência não pode ser um obstáculo ao fechamento.

Possíveis interesses:
- Horário mais flexível (especificar)
- *Home office* eventual
- Posição de liderança

- Maiores responsabilidades
- Participação em novos projetos
- Participação em eventos externos
- Mudança de cidade
- Mudança de setor
- Maior salário (especificar)
- Aumentar pacote de benefícios (listar)
- Remuneração variável/comissionamento
- Pagamento de cursos e MBA
- Acordos sobre o período de férias
- Ferramentas de trabalho
- Contratação de pessoa(s) para a equipe
- Descrição/Formalização de cargo
- Licença remunerada
- Licença não remunerada

No próximo capítulo, discutiremos "Quanto" e "Como" pedir.

CAPÍTULO 5

Entrando em ação

*"Uma longa caminhada começa
com o primeiro passo."*
– Lao Tsé

Após ter refletido sobre as questões que podem influenciar o aumento, ter ganhado visibilidade, montado uma estratégia e pedido a conversa, chega a tão (in)desejada hora de efetivamente conversar sobre o assunto – a temida negociação.

Tenha em mente que a negociação nada mais é do que um momento em que duas ou mais pessoas sentarão para resolver uma questão que nasce do fato de que têm alguns interesses em comum e outros conflitantes, que só podem ser resolvidos através da comunicação. Quanto mais respeitosa e colaborativa for essa conversa, mais chances de ser produtiva.

Você não precisa decorar táticas específicas para se sair bem na discussão salarial. Se tiver considerado os pontos mencionados até aqui (demonstrou seu valor para a empresa, montou uma boa estratégia, escolheu um momento oportuno e elaborou uma proposta adequada), o sucesso na negociação dependerá de conseguir manter um diálogo produtivo, usando o bom senso e considerando que existe uma questão a ser resolvida em conjunto: um valor de remuneração ou posição que seja justo, que coloque você no seu ápice de produtividade e motivação e que seja interessante para a empresa, pois ela recebe esses resultados. Você e seu gestor devem trabalhar juntos, de forma criativa e colaborativa, para resolver essa equação.

Ao ouvir objeções, é importante fazer perguntas que obriguem o gestor a escolher entre dizer que "você não merece" ou "que vai tentar resolver", ou entre dizer que "não tem planos para você" ou que "só não dá para fazer isso agora". Na discussão, ele estará enfrentando um dilema entre negar seu aumento e manter sua produtividade alta recebendo o mesmo salário. Ao dizer literalmente que não pretende de forma alguma aumentar seu salário, ele sabe que incorre no risco irreversível de perder sua motivação ou de diminuir sua produtividade. Por isso, se você fizer perguntas diretas ("você não vê espaço em nenhum momento para um aumento meu?" ou "você acha que já estou no topo do que posso receber aqui?"), forçará o gestor a pensar mais profundamente no assunto sem lhe dar uma negativa simples e fechada.

Essa negociação precisa ser um diálogo saudável, em que você encontre o equilíbrio entre:

1. Não ameaçar... mas mostrar que está tranquilo por ter outros caminhos a seguir caso não resolvam o problema.
2. Querer muito resolver a questão... mas não se mostrar desesperado.
3. Ser enfático... mas não agressivo.
4. Ter pressa para resolvê-la... mas aceitar que talvez não seja uma questão a ser fechada no primeiro encontro.

Evite tensões desnecessárias na mesa de negociações. Lembre-se de que após convencer seu chefe de que você merece ou de que um aumento é possível, ele precisa estar disposto a "lutar" por você para conseguir viabilizá-lo. E ele não fará isso se a negociação gerar algum desgaste na relação entre vocês ou se você passar a imagem de "olho-grande", mesquinho ou intransigente demais. Você precisa encontrar o tom certo para demonstrar seu caso, sem parecer egoísta e ganancioso. Deve conseguir mostrar, de forma respeitosa, como a proposta atual não o atende e mostrar persistência, sem parecer desesperado ou insistente demais. Para calibrar esse discurso, não deixe de testá-lo com parentes ou amigos que sejam bem críticos para apontar falhas na abordagem.

Persuasão

Em seu livro *As armas da persuasão: Como influenciar e não se deixar influenciar*, Robert B. Cialdini discorre sobre diversos princípios de persuasão que afetam a forma como tomamos decisões e influenciamos (e não manipulamos) as decisões de outras pessoas.

- **Reciprocidade:** Sociólogos e antropólogos definem a regra da reciprocidade como uma das mais generalizadas e básicas da cultura humana. Ela consiste em nos sentirmos impelidos a retribuir o que alguém fez por nós.
  Aplicação: No ambiente de trabalho, na relação com seu gestor, aceitar ou se engajar em novas tarefas, fazer mais do que foi pedido e se mostrar disponível costuma gerar maior propensão a retribuição com aumento salarial ou promoções.

- **Compromisso e coerência:** Após manifestarem uma posição, as pessoas ficam mais propensas a agir de forma coerente com essa escolha.
  Aplicação: Para alcançar algo maior – uma promoção ou aumento – é importante, em conversas preliminares com seu gestor, conseguir que ele assuma o compromisso geral de apoiá-lo no avanço da sua carreira ou em obter melhores condições de trabalho. Isso pode facilitar sua negociação futura, já que ele terá maior tendência a agir de

forma coerente com a posição que já manifestou: apoiá-lo nesse assunto.

- **Aprovação social:** Ao decidir como agir em uma situação ou em que acreditar, as pessoas costumam observar o que os outros estão fazendo ou em que acreditam.
  Aplicação: No caso do seu aumento salarial, saber que outros gestores acreditam que você merece um aumento ou que é um profissional de destaque pode ajudar no convencimento de que o aumento é merecido.

- **Afeição e semelhança:** As pessoas têm maior tendência a dizer sim para indivíduos que elas estimam, conhecem melhor e com quem se identificam. E isso também afeta as decisões no ambiente corporativo.
  Aplicação: Ter uma relação de proximidade com os gestores aproxima os profissionais de promoções e oportunidades – nada a ver com "puxa-saquismo", que é uma atitude artificial e tem efeito oposto se detectada. Você passa a maior parte do tempo no trabalho e as relações precisam ser saudáveis. Parta do princípio de que todas as pessoas têm um lado interessante, algo do qual gostam de falar e que faz seus olhos brilharem. Você precisa descobrir esse lado dos seus pares e gestores para ter uma convivência mais agradável no ambiente do trabalho e também ser considerado para oportunidades. Não é só capacidade técnica que conta.

- **Autoridade:** A deferência a pessoas que demonstram conhecimento ou símbolos de autoridade (como prêmios, títulos ou experiência) gera um atalho na tomada de decisões e maior anuência a seus pedidos.
  Aplicação: Ser reconhecido como autoridade na empresa, por demonstrar bastante conhecimento em sua área de

atuação, molda a forma como você é visto, gera maior respeito e o coloca no caminho do avanço na carreira.

- **Escassez:** As pessoas dão maior valor a oportunidades quando estão menos disponíveis. A atração por itens escassos é ainda maior quando competimos por eles.
Aplicação: No ambiente de trabalho, profissionais requisitados, que são disputados por outras empresas, são mais valorizados. Outras propostas de emprego, se usadas de forma eficaz, aumentam seu poder na negociação salarial.

Esses princípios de persuasão atuam como atalhos – facilitadores da tomada de decisões no ambiente atual de sobrecarga de informações. Eles são fontes saudáveis de influência. No entanto, contraindico sua utilização para manipulação ou exploração, quando esse gatilho não é algo natural, mas forjado para prejudicar a outra parte. Essa é uma linha tênue, cuja avaliação depende de princípios básicos de ética e boa-fé, que devem acompanhar os profissionais em todos os momentos de sua carreira.

Quanto e como pedir?

Muitas pessoas conseguem ter a conversa sobre seu aumento salarial, mas falham no momento final, de expor o valor que desejam. Ficam em dúvida sobre a forma de apresentar seu número. Mesmo que o valor pedido seja viável, há diversos fatores que determinam se ele será efetivamente aceito. Trataremos desses fatores a seguir.

Demonstre confiança
A forma como a mensagem é transmitida tem grande impacto em como ela é recebida pelo interlocutor. Seu tom de voz e

sua postura precisam demonstrar que você confia nos dados que pesquisou, está convencido do seu valor, entende o lado da empresa e acredita que esse acordo será bom para você e viável para seu empregador. Por insegurança em relação ao seu real valor ou pelo nervosismo da negociação, muitas pessoas fazem o pedido sem convicção e acabam tendo o pleito negado. Estudos indicam que a ansiedade e insegurança ao negociar geram resultados 11% piores.

•

Se você tiver dúvidas sobre o pedido, seu interlocutor também terá.

•

Mantenha contato visual, tenha postura determinada e firme, mostre que esse não é um assunto que você está trazendo por oportunismo, mas algo que não sairá da sua cabeça facilmente.

Ainda com relação à postura a ser utilizada, a escritora e editora Carolyn O'Hara mencionou em um artigo para a Harvard Business Review a estratégia dos 3 Cs, segundo a qual você precisa ter *Calma, Conversar naturalmente* e estabelecer *uma atmosfera de Colaboração*.

Em sua palestra "Sua linguagem corporal pode moldar quem você é", no evento TED Global 2012, a psicóloga e professora de Harvard Amy Cuddy apresentou técnicas que podem aumentar sua confiança antes de enfrentar momentos difíceis de "avaliação social", como fazer uma apresentação, participar de uma entrevista de emprego ou negociar seu salário. Ela demonstrou que a forma como você se porta antes e durante esses momentos pode alterar os níveis hormonais de testosterona e cortisol, que impactam, respectivamente, sua percepção de dominância e seus níveis de estresse.

Ela propõe que, antes de participar de uma entrevista de emprego ou negociação salarial, o candidato saia da tradicional "postura de baixo poder", de ficar encolhido ou apenas olhando para o celular, e vá para um local privado – como o banheiro – para adotar uma postura mais expansiva e de encorajamento, tendo uma conversa consigo mesmo, pela crença de que "a postura corporal determina a maneira como pensamos e nos sentimos com relação a nós mesmos".

Eu frequentemente uso essa estratégia. Antes de conversas difíceis ou grandes apresentações, tenho uma conversa comigo mesmo, com um pequeno "grito de guerra" interior. Saio dessas "conversas" com outro ânimo e nível de coragem.

Use a ancoragem a seu favor
Na negociação, o primeiro valor mencionado é chamado de ancoragem. Teoricamente, tem o poder de criar um valor de referência (âncora), que guiará as discussões na mesa de negociação.

Em geral, quem coloca o valor na mesa primeiro estabelece essa âncora, desde que seja uma proposta razoável e justificável. Caso a proposta seja absurda e fora da realidade, dificilmente terá poder de referência e talvez seja rechaçada de imediato pela outra parte.

Ao tentar determinar quanto você vale para a companhia, tenha a cabeça aberta para não se autossabotar, deixando-se influenciar por limitações impostas por orçamento, momento da empresa, salário de seus pares ou falta de visão de seu chefe.

•

São dois exercícios diferentes: o primeiro é atribuir o próprio valor. O segundo é buscar formas de convencer os tomadores de decisão.

•

Em negociações salariais, sugiro que você embase bem sua pesquisa salarial e tenha em mente uma faixa muito clara de valor desejado. Dessa forma poderá fazer uso da vantagem de ser o primeiro a colocar o valor na mesa e assim influenciar a percepção do outro. O único cenário em que não considero ideal fazer a primeira proposta é quando você não tem muita noção do valor potencial dessa negociação e entende que, deixando o outro lado falar primeiro, pode ser surpreendido com uma proposta melhor do que tinha imaginado. Isso raramente acontece em negociações de aumento salarial dentro da empresa, mas é um pouco mais comum em negociações para um novo emprego em uma empresa diferente.

Busque pelo menos três fontes diferentes para sua pesquisa salarial. Empresas de recrutamento costumam disponibilizar gratuitamente suas pesquisas anuais de remuneração, assim como alguns veículos de mídia especializados e sites de emprego. As pesquisas costumam apresentar seus resultados subdivididos por setor, descrição do cargo, tamanho da empresa e faixa salarial (mínima-média-máxima). Para estimar seu valor e apresentar os dados com mais propriedade, considere também a localização da sua vaga (grande capital ou cidade menor), seus anos de experiência, os diferenciais do seu currículo, suas habilidades e sua formação. A combinação dessas informações pode justificar seu posicionamento na faixa almejada.

Ao apresentar uma proposta, prefira colocar na mesa os dados pesquisados e se debruçar sobre eles. A discussão de valores acaba ficando menos pessoal e mais direcionada para "os números da pesquisa". Após debatê-los, fica mais fácil enquadrar sua proposta na faixa de valores em que você estaria posicionado. Por exemplo: se estou trabalhando em uma empresa média, uso abertamente a informação da faixa salarial de uma grande empresa para mostrar quanto pessoas do meu cargo podem chegar a ganhar. O chefe vai argumentar que isso só se aplica a uma empresa maior, mas certamente esse número já causou um efeito de referência na discussão. Se estou em uma grande empresa, uso a faixa superior das maiores para referenciar. E se já estiver na faixa superior, uso o argumento de que isso é apenas uma média e tento mostrar meus diferenciais para argumentar que deveria estar posicionado acima dela, já que, para chegar a uma média, foram considerados profissionais que ganham mais e outros que ganham menos.

Para ser ainda mais arrojado elevando o valor de referência (âncora), é possível também usar o poder da chamada "oferta-não oferta". Isso significa usar o nível máximo de remuneração indicado em sua pesquisa que seja de alguma forma comparável com sua atividade, mesmo que seu objetivo salarial esteja muito abaixo disso. Por exemplo, se o seu objetivo é 8 mil reais, você pode dizer: "Vi que um coordenador sênior de uma grande empresa de mineração recebe 12 mil reais, mas sei que o porte dessa empresa não é comparável com o nosso." Apesar de isso não ser uma proposta e de você deixar claro que não está usando esse número como referência para a sua remuneração, esse valor de 12 mil reais terá sido citado de forma subliminar e terá efeito de referência sutil na negociação. Logo depois, é importante fazer sua oferta um pouco acima de 8 mil reais, já estabelecendo em que faixa pretende colocar sua proposta.

Muitas pessoas ficam em dúvida sobre quão acima do valor desejado devem colocar sua primeira proposta. Isso depende muito do nível de confiança que você tem na outra parte e de quanto sua pesquisa está bem embasada por critérios objetivos. Na negociação salarial, considerando um nível saudável de relacionamento com seu gestor, eu sugeriria propostas bem próximas ao valor desejado, com margem superior variando entre 10-20% (no máximo) e usaria as "outras formas de pagamento" como reais moedas de troca, pois podem ter muito valor para você e gerar pouco sentimento de limitação (orçamentária) para seu gestor.

Uma ancoragem tradicional em negociações em que a empresa está recrutando um novo profissional é perguntar quanto ele recebia no emprego anterior. Isso gera forte referência na cabeça do recrutador, que tenta basear o salário novo nesse valor. Para dar dimensão de como essa referência é forte e real, alguns estados americanos instituíram uma lei proibindo que empresas perguntem qual o salário anterior do candidato em entrevistas de emprego. O objetivo da lei é diminuir desigualdades salariais, garantindo que o salário baixo em uma posição anterior não "persiga" o profissional em empregos futuros, diminuindo sua remuneração geral ao longo do tempo, com efeito cumulativo.

Use números precisos
Um estudo da Columbia Business School propôs que usar números mais precisos no pedido e mencionar uma faixa salarial em vez de um único valor alvo (por exemplo, a faixa de 5.200 a 6.100 reais, não de 5 a 6 mil reais) têm maior poder de referência na negociação. De acordo com Malia Mason, autora do estudo, ao ouvir números mais precisos, o interlocutor tende a concluir que a pesquisa para chegar a eles foi mais profunda e pode considerar o pedido mais embasado.

Já o uso das faixas gera o efeito da ancoragem mencionado anteriormente e pode fazer com que o interlocutor se sinta mais satisfeito por estar barganhando ao aceitar os 5.200 reais (valor mínimo da faixa do exemplo anterior), usando como referência uma redução sobre o valor máximo dessa faixa (6.100 reais). Se o pedido fosse de 5.200 reais simplesmente, ele poderia ser psicologicamente impelido a barganhar sobre esse valor. Você pode estar se perguntando se não teria o mesmo efeito se o pedido mencionasse apenas o valor máximo (6.100 reais). No entanto, considero que a faixa é a melhor opção, pois ela exerce a ancoragem do valor máximo, mas de forma menos agressiva, pois é acompanhada de um valor mais "palatável".

Aceite várias formas de pagamento

Nas negociações, quando tratamos de apenas uma variável (normalmente valor financeiro nominal), é provável que a negociação termine em uma barganha rígida, adotando-se uma solução simplista, sem que se explore todo o potencial de criação de valor.

Ao traçar sua estratégia de negociação, pense de forma mais ampla em um pacote total de remuneração e benefícios em vez de dar foco estreito ao salário nominal. "Detalhes" no pacote podem fazer toda a diferença. Vejo pessoas comparando salários sem dar o devido peso a número de salários anuais, bonificações, reembolsos, cursos grátis etc. Ao comparar propostas, todos os benefícios tangíveis e intangíveis de cada posição devem ser considerados.

Antes da negociação, tente imaginar de que formas a empresa pode ser mais flexível e ter maiores chances de validar o aumento envolvendo menos pessoas na tomada de decisão. Questões que para você são importantes, mas para a empresa são pequenas (como dias adicionais de férias, dias livres ou *home office* eventual) podem ser validadas diretamente pelo seu gestor, em um acordo à parte.

•

Quanto mais formas de pagamento você aceitar, mais chances terá de ser pago.

•

Focar apenas no aumento em dinheiro pode gerar impasses se, apesar do interesse da empresa em gratificar você, houver restrições orçamentárias ou subjetivas para fazê-lo. Pense em formas criativas de receber compensações que custem pouco para a empresa, mas tenham valor para você, como o pagamento de um curso, flexibilização no horário de trabalho, dias livres, *home office* eventual, verba para refeição ou viagem, ser designado para um projeto especial, ser responsável pelo atendimento de um grande cliente, mudança de área na empresa ou até mesmo um título mais relevante para o seu cargo. Você vai se surpreender com a quantidade de benefícios que podem ser gerados em uma conversa colaborativa sobre possíveis compensações.

Uma comprovação de que essa estratégia pode ser uma boa forma de superar impasses e conseguir viabilizar benefícios é um estudo da PEW Research Center divulgado em 2018 nos Estados Unidos. O estudo concluiu que, em números reais (já descontando a inflação), os custos salariais para as empresas cresceram 5,3% desde 2001. No mesmo período, os benefícios e outras formas de compensação aumentaram 22,5%.

Já fiz uso dessa estratégia para sair de alguns impasses. Em um deles, eu estava acima da média salarial dos meus pares, minha remuneração cobria bem as despesas do meu padrão de vida, mas, ao investir em um MBA, meu orçamento pessoal ficaria comprometido. Além disso, estava negligenciando minha saúde na época, já que precisava sair de casa às 6h20 para ir trabalhar e, quando voltava, à noite, já não tinha disposição para praticar exercícios físicos. A empresa era muito rígida em relação ao horário de entrada na fábrica (7h15), o que não contribuía para eu melhorar meus hábitos.

Tive uma conversa franca com meu gestor, falando sobre os riscos que essa impossibilidade de praticar exercícios físicos poderia representar no médio prazo para a minha saúde e para a minha motivação de continuar na empresa. Assim conseguimos acertar que eu teria o direito de chegar às 8h30 duas vezes por semana. Esse pequeno detalhe de pouco mais de uma hora faria muita diferença na minha rotina, já que eu também poderia praticar exercícios aos sábados e domingos, totalizando quatro dias semanais de atividade física.

Com relação ao MBA, a empresa reconheceu que seria importante investir considerando os resultados adicionais que eu poderia gerar no longo prazo e por ser uma boa política de retenção, mas não estava disposta a fazer o investimento naquele momento – teria condições de avaliar somente um ano depois. Eu tinha muita clareza de que o ideal seria iniciar o curso imediatamente em razão do meu momento profissional e da minha disponibilidade de tempo, então tomei a decisão de me inscrever e começar a pagar o curso por conta própria, imaginando que isso também geraria uma pressão a mais na empresa para antecipar a decisão de investir nele comigo. Afinal eu estaria ampliando o networking, ganhando visibilidade e entrando em contato com realidades diferentes em outras empresas sem ter o apoio da minha, o que de alguma forma acabaria enfraquecendo o vínculo necessário para minha retenção. Seis meses após do início do curso, fui chamado ao RH, que pediu que, a partir do mês seguinte, o boleto começasse a sair em nome da empresa, que pagou meu MBA até o final (por um ano e meio). Depois da conclusão, o valor da mensalidade foi incorporado ao meu salário.

•

É preciso entender claramente quais são as limitações da empresa para poder sugerir alternativas que sejam viáveis para ela.

•

De nada adianta acharem que você merece, entenderem que a remuneração faz sentido, mas a questão ser verdadeiramente inviável. Pode ser que a empresa esteja contratando ou promovendo várias pessoas e já tenha validado um pacote de remuneração fixo. Nesse caso, será muito difícil que os gestores estejam dispostos a reabrir essa questão, passando novamente por todas as instâncias de aprovação para validar uma exceção para você. Por outro lado, eles podem ter autonomia para resolver questões menores, como uma data de início diferente, escalas flexíveis em determinado período, um auxílio-mudança ou outras questões que podem parecer menores, mas fariam bastante diferença para você. Da mesma forma, uma empresa menor, que já fez uma proposta alta, no limite da remuneração que pode pagar, talvez tenha flexibilidade para lhe dar uma descrição de cargo mais pomposa ou aumentar um pouco sua participação na empresa ou no bônus, atrelados à entrega de resultados futuros.

Você tem chances muito maiores de sucesso em uma negociação de proposta de emprego quando pensa no pacote de remuneração como um todo, não só no salário direto. Primeiro porque seu bem-estar na empresa também está relacionado a vários pontos intangíveis, que não estão expressos no contracheque, como possibilidade de crescimento, ambiente de trabalho, flexibilidade, capacitação, entre outros. Além disso, mesmo considerando o salário direto, você poderá ter a mente aberta para pensar em "como" será remunerado, mesmo que não seja imediatamente. Uma proposta que gere boas possibilidades de ganhos superiores em um futuro próximo, em detrimento de uma remuneração um pouco maior agora, pode ser muito vantajosa e de aprovação mais fácil.

Uma reflexão importante com relação ao seu pacote de remuneração é: você vale quanto a empresa lhe paga. Imagine que tem uma etiqueta de preço em seu crachá e que é sobre esse valor que a empresa tomará futuras decisões em relação a você. Seus futuros aumentos também partirão dessa base. E os benefícios adquiridos dificilmente serão retirados sem que haja espaço para compensação. Portanto, considere cada compromisso firmado que melhore seu pacote como uma vitória, não só imediata, mas progressiva, sobre a qual outras, futuras, incidirão.

Pressionar com outras propostas de emprego?

Essa é uma questão delicada. Ter outra proposta ou sondagem aumenta seu poder de barganha, mas, se mal utilizada (ou seja, se for colocada em tom de ameaça), tem efeito contrário. A parte que tiver melhores alternativas e não depender desse acordo será a mais forte na negociação, desde que consiga usar essa força de forma inteligente. Se você for um profissional de difícil (ou não desejável) substituição, requisitado por outras áreas, e tiver bastante mercado em outras empresas (preferencialmente com sondagens reais), terá poder e provavelmente será bem-sucedido na negociação.

A questão é saber como usar esse poder sem que isso tenha um efeito inverso e funcione contra você. Como já mencionei, a negociação salarial envolve o ego e a preservação da imagem do seu gestor. Portanto, se você o pressionar de forma muito ostensiva, provavelmente ele vai contra-atacar e dizer "aceite então essas propostas todas que você tem", mesmo que racionalmente essa não seja a vontade dele.

Se for o caso, é importante mencionar que há alguma sondagem ou proposta específica, mas sempre de forma suave e citando claramente que seu interesse é continuar contribuindo para a empresa e entregando resultados, desde que considere que sua compensação por isso seja justa.

•

Tenha em mente que nenhum gestor estará disposto a "brigar" por você caso ache que esse esforço será em vão e que depois de tudo você só usará uma nova proposta dele como barganha para uma posição em outra empresa.

•

Portanto, seja bem claro ao dizer que, caso os pontos colocados sejam atendidos, você declinará outras propostas e ficará muito satisfeito em continuar na empresa.

Uma boa forma de usar uma possível proposta ou sondagem de outras empresas é colocá-la como uma boa oportunidade para discutir o assunto de sua remuneração. Você pode chamar seu gestor para conversar, dizer que já vinha há algum tempo avaliando sua remuneração e decidindo o melhor momento para tratar desse assunto e, como recebeu essa sondagem, gostaria de entender como ele enxerga sua situação na empresa, suas possibilidades de crescimento e seu potencial de remuneração, reafirmando o que você enxerga de positivo na empresa atual e que seu desejo é permanecer. Essa conversa certamente será diferente de uma em que você não tenha outras alternativas, já que o foco da discussão será alterado de "merece aumento *versus* não merece aumento" para "o que conseguimos fazer por você *versus* o que estão oferecendo em outro lugar". Quando falo de "outras alternativas", pode ser também uma oportunidade de empreender.

Caso seu maior interesse seja permanecer na empresa atual, com salário maior, considero que o melhor momento para conversar seja quando ainda estiver em fase de sondagens (entrevistas iniciais) em outra empresa. Nesse estágio, o interesse da outra empresa ainda está vivo, mas você não assumiu nenhum compromisso que seja delicado romper. Há também chance de você não evoluir no processo, mas ainda estará em tempo de aproveitar a força interna que uma sondagem lhe proporciona sem mentir ao dizer que está participando de um processo para o qual você já recebeu negativa. Aliás, é importante frisar que *nunca vale mentir*. Além de ser errado, as pessoas do seu mercado se falam, e há boas chances de você ser desmascarado e ainda perder a confiança do seu chefe atual.

Eu já usei o poder de outra sondagem para destravar um aumento salarial que estava demorando a acontecer. Recebi um convite para o processo seletivo de uma excelente vaga em uma empresa concorrente. Passei por duas etapas e, para não ter que pressionar diretamente meu gestor, comentei com o gerente de RH, com o qual eu tinha abertura, que havia sido convidado para o processo seletivo em um concorrente e que estava participando com o coração partido, porque pretendia permanecer na empresa, mas não estava vendo sinais concretos de que melhores condições seriam possíveis. Concluí dizendo que, em última instância, teria que pensar no que seria melhor para a minha carreira.

Dependendo do seu nível de relacionamento com o gestor, essa ação pode ser arriscada, porque ele pode se sentir traído por não ter sido o primeiro a saber. No meu caso, achei que seria o melhor a fazer, pois já tínhamos discutido algumas vezes a questão do meu aumento e não estava sentindo que ele estava tão preocupado em priorizar isso no momento, apesar de reconhecer que eu merecia. Caso ele me questionasse sobre não ter contado a ele primeiro, ainda havia espaço para dizer que eu estava avaliando outras opções e que conversaria quando existisse algo mais concreto – o que também era verdade. A estratégia deu certo e o risco de me perder para um concorrente acelerou a tomada de decisão para concretizar meu aumento. E acabou que, nesse meio-tempo, eu nem fui chamado para a fase seguinte do processo na outra empresa.

Outra forma de usar uma sondagem/proposta é fazê-la chegar ao gestor/decisor através de um intermediário que tenha alguma influência nas decisões dele. Isso fará com que eles discutam juntos formas de mantê-lo no emprego, sem que você precise se envolver ou se expor diretamente. Uma abordagem interessante pode ser "dividir o problema" com esse intermediário: "Não sei o que fazer. Recebi uma boa proposta de trabalho. Gosto muito desta empresa, mas não sei como eles enxergam meu futuro aqui dentro e minhas possibilidades de aumento de remuneração." Essa é uma boa forma de fazer seu pleito ser legítimo, pressionando sem ameaçar, mostrando interesse em permanecer e colocando a solução na mão do gestor. Só não é válido usar essa abordagem caso você tenha uma relação muito próxima com o gestor, já que ele ficará chateado por você não conversar diretamente com ele sobre o assunto e ter usado um intermediário, desconsiderando a relação que vocês tinham.

É possível também usar seus contatos de forma subliminar, mesmo sem nenhuma proposta ou sondagem, para aumentar sua percepção de poder. Quando fizer contato com gestores de outras empresas, seja em eventos profissionais, encontros casuais ou até mesmo nas redes sociais, vale comentar internamente que conheceu essas pessoas. Isso demonstra que você está próximo de outros potenciais empregadores que poderiam tentar contratá-lo caso você esteja desvalorizado internamente. E o ponto positivo é que não gera desconforto interno nem passa a imagem de que você está "em campanha", buscando emprego fora dali.

Independentemente de uma sondagem ou proposta de um concorrente, vale também mencionar "despretensiosamente" pesquisas de remuneração ou notícias que mostrem salários mais altos do que o seu. Isso pode gerar uma reflexão do seu gestor, a ciência de que você está antenado com os valores de mercado e sinalizar, na resposta dele, pontos que você deve abordar no seu argumento para romper objeções.

As suposições que você faz sobre como essa negociação deve se desenrolar também influenciam o tom da conversa. Muitas vezes já iniciamos a negociação na defensiva ou reativos por considerarmos que percepções anteriores são fatos, como "meu chefe nunca consideraria um aumento", "ele não vê valor em ninguém", "ele pensa pequeno", "ele é egoísta". Em vez de ficar remoendo todas essas percepções prévias, tente canalizar sua energia para pensar em *como* você poderia agir para fazê-lo pensar de forma diferente ou aceitar um novo ponto de vista. Isso só vai acontecer se você também estiver aberto a entender as reais motivações dele para poder construir um acordo que faça sentido para todas as partes.

Enquadramento: Desafie a lógica existente

No início da minha carreira, eu estava tentando negociar meu salário para um patamar de remuneração que me colocaria acima da faixa salarial de outros gerentes. A argumentação da empresa para negar meu aumento era que eu acabaria ganhando mais do que gerentes com mais tempo de casa, eles não teriam como justificar esse fato, e isso geraria insatisfação caso a informação vazasse. A lógica da empresa era a de maior remuneração por tempo na empresa.

Minha estratégia para argumentar nesse cenário consistiu em demonstrar que o tempo não tinha necessariamente relação com os resultados que cada profissional entregava e que a lógica mais adequada para essa avaliação envolvia capacidade técnica e formação. Por essa ótica, eu era o único que possuía MBA e que falava mais de dois idiomas (essa questão era relevante para assumir novas tarefas). Com isso, consegui mudar o enquadramento de "tempo no cargo" para "melhor formação acadêmica" e obter sucesso nessa negociação.

Devemos sempre defender nossos interesses e apresentar nossas propostas pela ótica que nos seja mais favorável. Isso é essencial na persuasão e na elaboração de uma argumentação de sucesso. Quando vamos para uma entrevista de emprego, tendemos a sentir insegurança em relação às nossas fragilidades. Mas pense que a entrevista não é um confessionário nem uma sessão de análise. É obvio que você tem fragilidades, mas sua argumentação, ao falar sobre elas, deve focar em como você conseguiria superá-las – que é o que importa para o entrevistador.

Outra forma de enquadramento comum em negociações salariais é a discussão entre nível de dedicação/esforço (em geral medido por horas: chega cedo e sai tarde) e resultados práticos. Caso sua produtividade seja alta, tente usar esses dados para rebater argumentos de que você fica menos tempo no escritório do que os outros e que por isso não faria jus a um incremento salarial, já que não é necessário ser a pessoa que passa mais tempo no escritório para ser a que mais entrega.

As pessoas costumam se apegar à realidade existente ou à forma como as decisões foram tomadas até então, mesmo que isso não faça sentido e elas nem se lembrem do motivo das decisões passadas. Para fortalecer e defender o enquadramento, é importante utilizar dados que comparem os resultados nos dois cenários, realidade vigente *versus* realidade proposta, e com isso tentar direcionar a discussão para os dados, não para o cenário que a outra parte está tentando preservar.

Pense no seu cargo de forma mais ampla

Outra questão relacionada ao enquadramento é não nos enxergarmos executando (ou sendo capazes de executar) determinada função, como no caso a seguir.

Uma grande amiga me procurou para desabafar sobre a falta de reconhecimento em seu emprego (no qual ela completara sete anos) e a falta de perspectivas. Queria ajuda para buscar posições em outras empresas, mas acreditava que o fato de ser analista em uma pequena empresa que promove eventos e intercâmbio cultural não a ajudaria a conseguir posições e salários maiores. Após ter se graduado e feito uma boa pós-graduação em gestão de negócios, estava até considerando voltar para a graduação e cursar marketing, com 30 anos, para aumentar sua empregabilidade.

Procurei entender melhor suas atividades e responsabilidades no dia a dia. Percebi que a empresa era realmente pequena e pouco hierarquizada. Mesmo como analista, ela há anos havia assumido funções extremamente relevantes que, em qualquer outra empresa com mais níveis hierárquicos, seriam consideradas de coordenação ou até mesmo de gerência. Mas o fato de ser analista, que tanto a incomodava, balizava todo o seu discurso, a forma como se enxergava e até mesmo a maneira como fez seu currículo, que era mais baseado em rotinas e tarefas do que em responsabilidades e realizações.

Ao insistir um pouco nessa questão de responsabilidades, descobri que ela geria uma equipe de dezenas de voluntários e que ficava a cargo dela a realização de pelo menos quatro eventos anuais com mais de 400 participantes, contemplando toda a logística, programação e realização, além da divulgação em diversos veículos de comunicação, que ela também gerenciava. Ou seja, ela já era coordenadora de eventos e marketing, mas não sabia.

A experiência que minha amiga adquirira na prática, complementada por sua pós-graduação, já era suficiente para buscar uma nova posição em outra empresa, sem necessitar passar por mais quatro anos de graduação para "ampliar a empregabilidade", desde que ela se enquadrasse da forma correta. Ao se posicionar como "analista que cumpre tarefas", esses seriam os cargos oferecidos para ela. Ao mudar sua mentalidade, reestruturar seu currículo e se colocar como a responsável por eventos e marketing em uma empresa que possui poucos funcionários, baixo nível de hierarquização e indefinição de cargos e salários, ela geraria outro tipo de visibilidade, que seria perfeitamente defendida por sua naturalidade ao falar sobre sua atuação nessa função.

Flexibilidade e resiliência

Qualquer negociação é, por natureza, imprevisível. Em seu livro *A arte da negociação: Como improvisar acordos em um mundo caótico*, o professor da Harvard Business School Michael Wheeler – de quem tive a honra de ser aluno – afirma que, apesar de a preparação ser uma etapa fundamental, a negociação é uma via de mão dupla. "Não podemos estabelecer um roteiro do processo. Quem quer que esteja do outro lado deve ser tão inteligente, determinado e falível quanto nós... A adaptabilidade é imperativa na negociação, do começo ao fim. As oportunidades vão pipocar, assim como os obstáculos. O poder escorre e se esvai. Conversas que se arrastam podem ir para a frente ou se desviar para outra direção. Até mesmo nossos objetivos são passíveis de se desenvolver. Temos que fazer o melhor do que quer que se desenrole. O desafio reside no fato de que as preferências, opções e relações normalmente estão em constante mudança... os melhores negociadores entendem isso muito bem."

A busca obstinada por algo que determinamos como objetivo pode acabar nos cegando e fazendo com que deixemos de observar oportunidades sutis que apareçam ao longo do processo de negociação.

•

Esteja aberto a chegar ao seu objetivo por caminhos que você não imaginou anteriormente. Pense de maneira mais abrangente em seus interesses, não se limitando à forma como você imaginou alcançá-los.

•

Ajude seu gestor a construir o discurso de defesa do seu aumento

Muitas propostas são negadas porque o seu gestor não enxerga uma forma viável de defender sua remuneração sem passar a imagem de que é injusto com os outros (ao dar aumento só para você), "mão aberta" (ao estourar o orçamento para realizá-lo), insensível ao momento difícil da empresa (de controle total de custos) ou "apressado" demais (por não esperar que você amadureça mais para poder fazer essa concessão).

Dificilmente o gestor vai compartilhar ativamente essas preocupações com você, mas ele pode sinalizar sutilmente, com frases como "não vão entender esse aumento", "e se os outros souberem?", "vai ser impossível fazer esse aumento passar", "o financeiro não vai autorizar" ou outras respostas parecidas.

Antes de apresentar seu caso, vale tentar entender como o seu gestor pensa, o que é importante para ele, em que momento ele está e quais são as limitações dele.

Sua primeira preocupação deve ser fazê-lo entender claramente a razão de cada pedido, por que seria importante para você e os impactos que teria para a empresa. Como achar que merece e conseguir viabilizar são duas coisas bem diferentes, após uma objeção, a seguinte pergunta deve ser feita de forma clara e aberta: "Você acha meu aumento salarial justo, mas não enxerga formas de viabilizá-lo, é isso?"

Não vale a pena trabalhar no segundo ponto (discutir a forma de viabilizar) enquanto o primeiro (estar convencido de que você merece) não for superado. Leve o tempo que for necessário para convencê-lo de suas demandas, não apenas colocando-as de forma objetiva na mesa (por exemplo: preciso de 20% de aumento ou de um dia de *home office* por semana), mas explicando com argumentos objetivos por que isso faz sentido. Quando estiver seguro de que seu gestor "comprou a ideia", começa a missão de ajudá-lo a "vendê-la" internamente.

Nesse cenário, você precisa auxiliá-lo a construir um discurso que contemple os principais questionamentos que venham a surgir para prejudicar a aprovação do seu aumento ou que o colocariam em uma situação difícil. Tente imaginar, considerando a realidade da empresa, o que pode ser questionado por algumas pessoas-chave na organização e elabore a resposta a cada objeção. Afinal, você é a pessoa mais preparada para fazê-lo, já que foi quem mais pensou no assunto nos últimos tempos. (Eu já cheguei ao limite de, além de apresentar verbalmente meus contra-argumentos para embasar a defesa do meu chefe, enviar por e-mail os tópicos principais, caso ele precisasse relembrá-los.)

Um exemplo desses argumentos seria: seu gestor aprovaria um aumento de 25% no seu salário, mas vocês já antecipam que *ele* será questionado pelo fato de você ter sido promovido para esse setor há menos de um ano (enquanto os outros funcionários estão há mais de dois anos sem aumento) e pela empresa estar passando por um momento de forte corte de custos. O discurso de defesa a ser montado precisa contemplar que sua visão de recém-chegado e "sem vícios" sobre a área fez com que enxergasse potenciais clientes fora dos segmentos normalmente prospectados pelos colegas, produzindo receita adicional (acima da média dos outros), com menos despesas de prospecção. Em geral as críticas de pessoas externas à discussão do aumento são rasas e baseadas em generalidades. Por isso, uma defesa bem montada, com argumentos mais profundos e elaborados, costuma rebatê-las com eficiência.

A forma como o gestor deseja ser visto por seus superiores também impacta a decisão sobre o seu aumento.

Por exemplo, se existe uma meta de corte de custos e seu gestor será avaliado para uma futura promoção pela redução de despesas que conseguir gerar, aumentar seu salário o afastaria desse objetivo e poderia passar para os superiores dele uma impressão de desalinhamento em relação a objetivos estratégicos da empresa. Sabendo disso, é preciso construir com o gestor alternativas para esse "aumento de custos" ser compensado por alguma outra redução ou por uma receita adicional que você poderia gerar. Isso fará com que o argumento ganhe mais força para que ele tenha "coragem" e disposição de levá-lo adiante.

O que *não* fazer

Quando você já está esperando por uma promoção ou aumento salarial há muito tempo, cada dia no escritório vira uma eternidade. Os sentimentos de frustração e desmotivação começam a pesar e o trajeto para o trabalho parece cada vez mais longo. Seu nível de engajamento diminui, o humor fica instável, torna-se difícil focar no trabalho e não se deixar levar pelas distrações da internet.

Na ânsia por se livrar desses sentimentos e resolver o problema de uma vez por todas, muitos profissionais optam por atitudes que parecem aproximá-los da solução, mas acabam minando suas chances de alcançar seus objetivos.

Todos os anos de trabalho e de aprendizado, as difíceis situações pelas quais você passou, o tempo que esperou por uma oportunidade podem ser perdidos por uma frase mal colocada no momento crucial de discussão do seu futuro na empresa. Ser agressivo no pedido, ameaçar procurar outro emprego, fazer solicitações fora da realidade, usar o meio de comunicação errado e ser inflexível são alguns dos erros que podem custar caro na negociação salarial.

Nunca faça ameaças
A negociação salarial é peculiar porque exige um cuidado maior em manter o relacionamento, já que as pessoas continuarão tendo que trabalhar juntas – na maioria das vezes, em posições hierárquicas. É preciso ter bom controle emocional para não perder a cabeça em momentos turbulentos da conversa, pois qualquer palavra ofensiva ou mal colocada pode gerar danos irreversíveis.

Além da questão de conteúdo (salário), há questões emocionais envolvidas, como orgulho (o gestor pode se sentir ameaçado pelo seu crescimento) e senso de equidade (preocupação com a possibilidade de que o novo salário fique muito acima do de seus pares ou muito próximo do de seu gestor).

•

As questões racionais não são resolvidas sem superar as emocionais. Esteja atento para que seus argumentos contemplem esses dois aspectos.

•

Considerando esses fatores, evite ultimatos ("é isso ou nada"), ameaças explícitas ("começarei a procurar outro emprego hoje") ou afrontas ("só você não consegue enxergar que eu mereço"). Além de não contribuir para seu aumento, essa abordagem ainda pode colocar em risco seu emprego.

É importante ter equilíbrio entre ser assertivo nas suas colocações e controlar as ameaças. Por um lado, deixe claro que o assunto é importante para você e que é uma questão que precisa ser resolvida (é necessário evitar que seu chefe pense que ao adiar essa decisão você vai acabar desistindo). Por outro lado, não pareça ameaçador, para que o gestor não fique na defensiva ou se veja obrigado a negar o aumento só para lhe ensinar a lição de que você precisa respeitar a hierarquia e a posição dele na empresa. Tudo o que você *não* quer é que seu aumento seja impossibilitado por questões de ego ou pela preservação da imagem do seu chefe.

No caso de entrevistas de emprego, o entrevistador precisa gostar de você para estar disposto a buscar algo diferente do que foi oferecido inicialmente. Se ele achar que sua abordagem foi desrespeitosa, ofensiva ou arrogante, suas chances diminuem de forma considerável.

Não seja muito eufórico
Euforia demais durante a negociação ou na fase final da entrevista pode ser um tiro no pé. Sua comunicação não verbal precisa estar alinhada com sua fala. Se você está eufórico com tudo o que o entrevistador está dizendo e, ao final, tenta abrir uma negociação, as chances de ser bem-sucedido são muito baixas, porque ele sabe que você aceitará o emprego de qualquer forma. É preciso equilíbrio entre se mostrar entusiasmado por trabalhar ou continuar trabalhando nessa empresa e não demonstrar ansiedade e desespero por agarrar essa oportunidade a qualquer custo.

Não peça um valor alto demais
Pedir um valor completamente fora da realidade da empresa ou incompatível com sua posição pode ter resultado oposto ao pretendido. Em vez de criar uma alta referência de valor, fará com que você seja visto como ambicioso demais ou "sem noção", e pode acabar desestimulando seu gestor a buscar algum aumento para você – pois pensará que você ficará frustrado com um aumento muito distante de suas irreais expectativas.

*Não seja mesquinho nem pense apenas
no curto prazo*
O sucesso a longo prazo depende de pequenas decisões que tomamos ao longo da carreira. Em alguns momentos, aceitar uma oportunidade que permitirá maior crescimento e ganhos futuros é melhor do que buscar apenas o benefício financeiro imediato. Pequenos ganhos adicionais no início da carreira podem fazer menos diferença no longo prazo do que uma posição que lhe permita aprender, crescer e ter visibilidade. Pese bem essa questão ao tomar suas decisões.

Não use argumentos pessoais
Não use argumentos pessoais, do tipo "preciso de dinheiro para viajar mais, reformar a casa, pagar meu financiamento, ajudar meus pais, pagar a escola dos filhos, trocar de carro", já que isso apenas demonstra falta de profissionalismo e de visão sobre as motivações da instituição. A empresa decidirá a favor do seu pedido pelos motivos dela, como aumento de produtividade, justiça em relação à remuneração geral, possibilidade de geração de receita adicional, evitar o esforço de buscar outro profissional, manutenção da estrutura atual, proteção contra concorrentes, reconhecimento do seu valor ou interesse em manter a motivação da equipe elevada. Por isso, todos os pontos colocados para embasar sua negociação precisam levar em conta algum desses assuntos.

É preciso separar os argumentos entre internos (suas motivações pessoais) e externos (as motivações da empresa). Esses pontos pessoais podem ser uma excelente fonte de motivação interna para que você enfrente o duro desafio de se preparar para buscar um aumento e mudar seu padrão de vida. Por isso, tenha esses alvos de forma clara e viva no seu dia a dia, compartilhe seus sonhos com colegas e familiares, pois o compromisso público o ajudará a não desistir de conquistá-los. Por outro lado, os argumentos internos precisam ser guardados quando se entra no campo profissional e substituídos pelos argumentos externos, que devem mirar nas motivações de decisão da empresa.

Em linha com essa estratégia, a professora Hannah Riley Bowles, da Harvard Kennedy School, propõe usar a "comunicação relacional", que seria uma argumentação "Eu/Nós".[5] Isso envolve pedir o que você quer ("Eu"), enquanto sinaliza para a outra parte que você está considerando a perspectiva dela também ("Nós"). A chave é explicar por que a outra parte deveria perceber sua negociação como legítima ou apropriada, ao mesmo tempo que você demonstra sua preocupação com a relação organizacional.

A professora dá o exemplo de uma profissional que recebeu uma proposta de emprego claramente abaixo do que sua experiência justificaria e sentiu-se impelida a negociar. Após embasar o pedido, ela usou a estratégia de "comunicação relacional", ao dizer: "Ao me contratarem para gerenciar a equipe de novos negócios, vocês certamente esperam que eu seja uma boa negociadora." Assim, justificou a ação de pleitear o que considerava justo e demonstrou que agiria da mesma forma para defender os interesses da empresa futuramente. Para reforçar sua preocupação com o relacionamento, completou: "Essa será a única vez em que nós estaremos em lados opostos da mesa de negociação."

Não tome a primeira negativa como algo absoluto
Não fique intimidado pela negativa inicial do seu gestor. Esse erro é muito comum e prejudica diversos profissionais. Por

---

[5] Bowles, Hannah Riley e Linda Babcock. "How Can Women Escape the Compensation Negotiation Dilemma? Relational Accounts Are One Answer." *Psychology of Women Quarterly 37.1* (Março 2013): 80-96.

mais que tenham se preparado, eles jogam seus argumentos fora ao se calarem com o primeiro "não", acreditando que a conversa acabou.

•

O "não" é um sinal de defesa do seu gestor e ele o usará por ainda não estar convencido de que você merece o que está pleiteando.

•

É preciso abrir um espaço de diálogo para conversar sobre seu futuro na empresa, sua posição atual e formas adicionais de contribuição, saindo da resposta binária "sim/não". Mesmo que seu gestor diga "não é possível pensarmos em um aumento agora pelos motivos x ou y", é preciso manter a conversa viva, dizendo: "Entendo que seja difícil validarmos um aumento, mas gostaria de conversar mais profundamente sobre essa questão e também sobre meu momento na empresa, independentemente de qualquer coisa." Frases desse tipo têm o poder de acalmar os ânimos e baixar um pouco a guarda do seu gestor, por perceber que ele pode conversar sem ter que necessariamente tomar uma decisão imediata.

Postura pós-conversa inicial

Não se frustre caso o aumento não ocorra na primeira conversa. Essa é uma decisão difícil, que pode ter impacto em outros funcionários e no orçamento da empresa. Por isso, provavelmente seu gestor precisará encontrar a melhor forma e o momento mais favorável para justificar essa decisão a outros membros. Nesse meio-tempo, é importante prestar atenção na sua atitude e no seu desempenho para que ambos reforcem o seu valor, não o contrário. Pense que você ainda está "em campanha" e precisa manter o foco no objetivo: conquistar o seu aumento.

•

A negociação é um processo com várias etapas.

•

Apesar de você já estar com essa questão em mente há muito tempo e ansioso por resolver logo, é possível que seu chefe tenha começado a pensar nela somente após essa conversa. Ele precisará de um tempo para tomar uma decisão considerando todas as questões colocadas e os impactos que isso pode ter na estrutura da empresa.

Dê algum tempo (dias ou semanas) para que ele possa digerir o assunto e lembre-se de que, nessa fase, ele vai observá-lo mais do que nunca – ou seja, não deixe que a insatisfação domine seu humor ou suas atitudes. Os holofotes estarão voltados na sua direção e seu gestor analisará se você realmente merece o aumento pelos pontos que colocou, prestará ainda mais atenção nas suas atitudes, na relação com outros membros da equipe e, sobretudo, na forma como seu trabalho e seus resultados são entregues.

É nessa etapa que muitos aumentos salariais são perdidos. A pessoa solicitante acaba deixando para conversar com o gestor quando a situação já está quase insustentável, o chefe pede um tempo para pensar e o funcionário se frustra imediatamente. Acaba desabafando com colegas e familiares sobre como é injustiçado no trabalho, colocando todos os pontos sob sua ótica, e seus amigos não têm outra opção senão reforçar seus argumentos, dizendo que ele realmente merecia mais e "só a empresa ou esse chefe" não conseguem enxergar isso.

Essa fórmula conduz a pessoa para seu nível mais baixo de motivação nos dias seguintes à primeira conversa, com baixa produtividade e falta de iniciativa para buscar novas atividades ou demonstrar o vigor com o qual entregaria mais resultados após um aumento ou promoção. Isso gera um círculo vicioso, já que, agindo dessa forma, é praticamente impossível que o gestor decida que o aumento seria a coisa certa a fazer, o que gera mais insatisfação por parte do funcionário – e acaba levando a uma demissão (voluntária ou passiva) ou a um "estado vegetativo no emprego", em que a pessoa só está de corpo presente no escritório, mas com a cabeça em outro lugar.

É preciso encontrar forças para conseguir um ânimo final no período entre a primeira conversa e as reuniões seguintes, ainda que esse intervalo seja de semanas ou mesmo meses. Essa atitude só traz benefícios: você aumenta as chances de conseguir seu aumento (pois será mais bem avaliado), tem maior possibilidade de ser notado por outros gestores ou colegas (o que pode render uma indicação para outra área ou empresa) e, na pior das hipóteses, estará no seu ápice de produtividade e com uma postura positiva caso apareça uma oportunidade em uma nova posição – dentro ou fora da empresa. Acredite, o mau humor gerado por um momento ruim fica estampado no seu rosto em outras entrevistas de emprego.

Dar tempo para o seu gestor digerir o assunto não significa que a conversa deve ser esquecida e que o assunto deve ficar solto, dependendo apenas da boa vontade dele em retomá-lo. Isso provavelmente não ocorrerá, já que há gestores que acreditam que o melhor caminho é deixar o assunto "morrer naturalmente". Para manter o fluxo do processo sem parecer inconveniente nem pressionar demais, acerte datas específicas para que a discussão volte a acontecer, combinando prazos e métricas concretas que devem ser avaliadas na próxima conversa, com perguntas como:

- O que preciso entregar mais para fazer jus ao aumento?
- Quais são meus *"gaps"* em relação aos meus pares ou superiores?

- Que traços de personalidade preciso demonstrar mais?

Essas métricas precisam ser bem objetivas, já que assim fica muito mais fácil comprovar que elas foram alcançadas e remover argumentos impeditivos ao seu aumento. Quanto menos subjetiva for a discussão, mais chances de convencimento você terá.

Um estudo da empresa PayScale com mais de 160 mil profissionais nos Estados Unidos listou os principais motivos alegados pelos empregadores para negar um aumento salarial: limitação orçamentária (49%), não apresentou justificativa concreta (33%), não estava no período do ano propício para aumentos (9%), pouco tempo de cargo (7%), performance não justificaria aumento salarial (3%). O mesmo estudo concluiu que 77% dos profissionais não acreditaram nessas justificativas.

Na prática, muitos gestores realmente falham em expor concretamente os motivos da negativa, seja por não terem analisado de forma profunda a questão, seja por terem medo que os reais motivos pelos quais acreditam que o aumento não seja possível possam desmotivar ou ofender o funcionário. Como seu objetivo não é que a conversa termine nessa primeira discussão, é essencial que você tenha uma postura colaborativa e de curiosidade sobre quais seriam as reais razões por trás da negativa. Impasses surgem pela falta de perguntas abertas que ofereçam oportunidade de descobertas. Perguntas fechadas, como "É possível conseguir um aumento?" ou "Seria viável falarmos sobre uma maior remuneração nesse momento?" geram respostas binárias do tipo "sim/não". Você pode receber um "não" sem entender o que precisaria fazer para chegar ao "sim".

Já uma abordagem que antecipa os problemas e abre a questão para discussão, incentivando o gestor a falar, não permite um simples "não" como resposta. Por exemplo: "Sei que temos limitações orçamentárias, mas gostaria de conversar sobre minha remuneração e posição atual e para isso queria entender como você enxerga o momento atual da empresa, quais são as perspectivas de melhoria no curto prazo, onde eu poderia contribuir mais..."

•

Sua missão após a primeira negativa é conseguir informações. Elas serão o ponto de partida para você montar uma nova estratégia.

•

Resista ao ímpeto de tentar convencer o seu gestor a qualquer custo e acabar estressando o assunto na abordagem inicial. Certamente, ciente dos reais interesses, objeções e argumentos do gestor, você terá muito mais clareza na construção do seu novo discurso para a próxima reunião. É essencial que, durante a conversa inicial, você consiga um feedback do seu gestor com relação à sua atuação no momento e à postura que ele espera de um profissional no nível que deseja alcançar. Isso é muito importante para que você possa rever suas atitudes, reforçando comportamentos que o coloquem mais perto do objetivo e abandonando práticas incompatíveis.

É fundamental sair da primeira conversa com a segunda já agendada – se não com data exata, pelo menos com a semana ou quinzena em que um novo papo acontecerá. Acredite: é mais fácil conseguir marcar essa segunda conversa ao final da primeira, quando vocês estarão imersos no assunto. Depois que cada um for para o seu lado e novos problemas surgirem dentro da empresa, ficará mais fácil para o gestor protelar a decisão e adiar uma nova reunião sobre esse assunto.

Vale considerar também que as limitações enfrentadas pelo seu chefe não são eternas. O cenário pode mudar em alguns meses e, com isso, se tornar mais fácil conseguir o que você deseja. Pode ser também que a questão ainda seja falta de confiança em você, que pode ser construída meses após a conversa inicial e acabar rendendo frutos em outro momento.

Pense também que há um descompasso entre o seu nível de interesse em aprovar o aumento salarial e o do gestor em negá-lo. O aumento certamente significa mais para você do que para a empresa, e sua disposição para consegui-lo precisa se sobrepor à do seu gestor para dizer "não". Por isso, não desista, tente de tempos em tempos retomar o assunto, com abordagens diferentes.

Mapa resumo: checklist

Esse mapa tem um resumo do passo a passo que você deverá seguir para buscar seu aumento ou promoção salarial.

1. Observação
   - Observe o ambiente interno e o externo.
   - Pesquise a média salarial.
   - Compare suas entregas/produtividade com as dos pares.
   - Analise se o aumento faz sentido ou se você precisa se capacitar ou demonstrar mais seu trabalho antes de iniciar a campanha por um aumento salarial.

2. Preparação
   - Busque embasamento racional para justificar o aumento ou promoção.
   - Utilize dados concretos, listando:
     - Resultados mais relevantes desde que entrou na empresa.
     - Ganhos de produtividade que gerou.
     - Melhora de processos.
     - Contribuição com o ambiente – bom relacionamento interpessoal.

3. Estratégia
   - Mapeie todas as possíveis pessoas ou instituições que podem influenciar de forma positiva ou negativa o seu plano.
   - Busque o apoio inicial de pessoas que possam fortalecer sua campanha.
   - Identifique quais partes poderiam barrar sua iniciativa e tente fazer com que elas só sejam envolvidas quando outras pessoas relevantes já estiverem convencidas.

4. Agendamento
   - Agende uma reunião para falar especificamente sobre o aumento, permitindo que seu gestor tenha tempo de pensar de forma mais profunda sobre essa questão, sem que ele coloque um "não" como defesa por não ter refletido sobre o tema.
   - Diga de forma séria e assertiva: "Queria agendar uma conversa, para falar sobre meu momento na empresa. Você tem vinte minutos nesta semana?"

5. Persuasão
   - Exponha de forma respeitosa mas assertiva seus pontos e os motivos pelos quais você entende que merece o aumento.
   - Faça uma abertura resumida dos principais pontos, com não mais do que cinco minutos, e abra espaço para que seu gestor inicie seus comentários sobre o assunto.
   - Esteja genuinamente aberto a ouvir contrapontos expostos pelo seu chefe. Você só conseguirá avançar se entender a fundo quais são as objeções dele e conseguir ajudá-lo com argumentos, para que não só se convença, mas tenha força para convencer outras pessoas.
   - Considere que esse não é um jogo de ataque (seu) contra defesa (dele). Após dar a saída, a posse de bola tem que ser dele e você precisa atuar apenas no desarme.

6. Flexibilidade
   - Lembre-se de que essa é uma conversa de construção. Seu objetivo é fazer com que a reunião seja um encontro para o desenho criativo de formas de resolver o problema, atendendo a ambos. Sempre há algo que custa pouco para um e vale muito para o outro.
   - Esteja aberto a construir formas alternativas de compensação, como pagamento de cursos, dias livres,

flexibilidade de horários, bonificação por resultados, entre outras.
- Deixe claro que você está disposto a chegar ao mesmo lugar, só que por vias diferentes. Quanto mais formas de pagamento aceitar, mais chances você terá de ser pago.

7. Feedback
   - Peça um retorno claro e objetivo sobre os pontos que precisa demonstrar ou desenvolver para fazer jus ao aumento ou promoção.
   - Combine entregas necessárias e um prazo específico para apresentá-las e retomar a conversa.
   - Estabeleça critérios objetivos de avaliação para diminuir as chances de que observações enviesadas possam minar suas pretensões.

8. Resiliência
   - Lembre-se de que a negociação salarial dificilmente se resolve na primeira conversa, mas a partir dela você será mais observado do que nunca.
   - Prepare-se para manter seu nível de motivação e produtividade nos níveis mais altos, mesmo após a primeira negativa.
   - Considere que você só será capaz de se manter no jogo, com possibilidades de reverter a situação, caso demonstre disposição para passar a entregar resultados superiores aos que vinha produzindo.

9. Nova tentativa
   - No prazo combinado, faça uma nova rodada de preparação, listando suas mudanças e entregas.
   - Agende uma nova conversa e repita a abordagem, só que agora com mais conhecimento sobre os pontos e

mais confiança em relação às suas entregas e aos fatores decisivos para seu gestor.

10. Resolução
    - Se ainda assim seu aumento não se concretizar, comece a refletir se esse é realmente o melhor lugar para você.
    - Repita o ciclo, só que dessa vez buscando opções em outras empresas ou setores.
    - Mantenha sua motivação no cargo atual e uma postura positiva – esse ponto é importantíssimo. Isso fará com que você continue com chances de resolver seu aumento internamente, tenha possibilidades de ser desejado por outras áreas ou chegue em outra empresa no seu ápice produtivo.

CAPÍTULO 6

Situações especiais

*"Só porque meu caminho é diferente, não
significa que eu esteja perdido."*
— GERARD ABRAMS

Recebo muitas perguntas sobre questões que envolvem negociação no âmbito da carreira dos profissionais, mas que não estão necessariamente ligadas aos pontos que tratamos até aqui. Explorei o caminho para obter um aumento salarial ou promoção de cargo dentro da empresa, mas existem desafios alternativos que fazem parte da realidade de diversos profissionais. Procurei tratar aqui dos mais frequentes, consolidando-os neste capítulo.

Negociando mais qualidade de vida

Cada vez mais me deparo com profissionais que buscam maior qualidade de vida, mesmo que isso represente redução dos seus ganhos financeiros. Quando isso acontece, costumo frisar que a negociação pode ser por menos! Menos dinheiro, menos horas trabalhadas, menos estresse e menos dependência. Atualmente é possível executar atividades profissionais de forma independente – com estrutura enxuta, muitas vezes individual. Observo também uma tendência ao uso de bens compartilhados, com menor necessidade de posse. Essa independência traz um novo caminho profissional viável, que envolve busca de propósito, qualidade de vida e maior flexibilidade, uma alternativa ao modelo de mais de 44 horas semanais no escritório.

Alcançar esse formato também envolve negociação, em geral mais complicada do que a tradicional, de aumento salarial, por envolver quebra de paradigmas profundos. Muitos gestores são reativos a formatos alternativos ao presencial no escritório porque receiam que você se dedique a outras atividades além do trabalho, sua produtividade diminua e ele perca o controle sobre as horas que você se dedicaria às tarefas. Vejo dois cenários diferentes para evoluir com essa negociação, e cada um requer uma abordagem diferente.

Caso você precise ou queira permanecer na empresa e a situação do *home office* eventual ou horário mais flexível seja apenas algo desejável, mas não uma necessidade essencial no curto prazo, sugiro uma abordagem gradual, conquistando pequenas vitórias. Não tente resolver o problema todo de uma vez, mudando completamente o formato de trabalho. Introduza o assunto, focando no argumento de que terá a mesma produtividade e demonstrando maturidade em se dedicar ao trabalho, mesmo que ninguém esteja vendo. Tente combinar um "teste", escolhendo um projeto específico, com prazos e entregas claras, que você execute no formato mais flexível. Caso a entrega seja satisfatória, você terá argumentos mais fortes para repetir isso em outros projetos, até que a insegurança do gestor seja superada.

Se você realmente necessitar maior flexibilidade (como em casos de doença na família, cuidado com os filhos, estudos paralelos, mudança de cidade, viagens frequentes) e estiver disposto a correr algum risco de perder seu emprego atual, vale ter uma conversa franca para resolver completamente o problema. Já presenciei vários casos de pessoas que estavam a ponto de pedir demissão por imaginarem que seu emprego seria inconciliável com a situação pela qual estavam passando e se surpreenderam com a abertura para formatos alternativos.

Tenha em mente que muitas vezes a negativa do gestor decorre de ele achar que o transtorno da mudança seria alto e isso seria apenas um desejo seu, não uma necessidade. Caso você seja um profissional relevante na empresa e consiga deixar claro que se trata de uma situação essencial, muitos gestores estarão dispostos a desenhar algo para continuar contando com sua expertise, mesmo que por menos tempo. Nesse caso, é importante que a conversa seja franca, com demonstração clara de que essa questão é real e necessária, reforçando o interesse em permanecer na empresa em algum modelo que atenda aos interesses de ambos. O clima de cooperação e criatividade para explorar soluções precisa ser estabelecido para que um acordo seja viável.

Flexibilização das relações de trabalho

Seja você contra ou a favor da reforma trabalhista estabelecida em 2018, é fato que ela trouxe maior flexibilização para as relações de trabalho. Com o intuito de proteger o trabalhador, a legislação anterior acabava gerando rigidez e inviabilizando acordos que poderiam ser desejáveis por ambas as partes.

Aproveite essa maior flexibilidade para construir, em conjunto com o empregador, acordos que sejam benéficos para ambos. Caso você seja um profissional caro e não seja viável dedicar-se exclusivamente à empresa, negocie a prestação de serviços eventuais ou a dedicação parcial. Estude a possibilidade de prestar serviços para mais de uma empresa, garantindo maior equilíbrio entre o trabalho e a qualidade de vida. Analise oportunidades de negócios alternativos ou serviços *freelance*. Pesquise sobre as particularidades da lei em relação à sua atividade para planejar seus próximos passos de carreira.

Negociando salário em um novo emprego

A negociação salarial em um novo emprego possui particularidades que a diferenciam da negociação interna na empresa atual, já que ainda não há um relacionamento profundo, existem outros candidatos disponíveis de forma imediata e a sua adaptação à cultura da nova empresa não é certa. Quando você já está na instituição, existe um relacionamento prévio, eles sabem do que você é capaz e há a disposição de evitar perdê-lo, além do desejo de evitar a abertura de um processo seletivo desgastante.

Um ponto importante a se considerar antes de aceitar uma nova proposta de emprego é: o salário que você acertar servirá como base para seus futuros aumentos. Será a "etiqueta de preço" pela qual você será referenciado. Entrar em uma empesa ganhando pouco pode atrasar o alcance do salário dos seus sonhos, já que, depois desse momento, é difícil conseguir saltos de remuneração superiores a 25-30% em cada ciclo de aumento.

A regra de se preparar previamente também vale para esse tipo de negociação. É preciso:

- Utilizar as pesquisas salariais para tentar dimensionar qual seria a faixa de remuneração para essa posição.
- Listar e priorizar seus interesses no momento atual de carreira. Pode ser que você esteja buscando mais qualidade de vida, esteja buscando grandes desafios ou maior visibilidade, ou queira potencializar seus ganhos, mudar de cidade ou simplesmente procurar novos ares. É preciso entender na entrevista se essa posição propiciará o que você quer atualmente.
  Às vezes acabamos nos envolvendo demais no processo seletivo e desconsideramos a importância das nossas prioridades de carreira, o que pode gerar frustração no curto/médio prazo.

- Ao tentar estabelecer seu salário alvo ou o mínimo que aceitaria nessa nova posição, considere sua remuneração total no emprego atual. Vejo muitas pessoas focarem apenas no salário nominal, mas, quando vão fazer contas, depois de terem aceitado a proposta, descobrem que no final trocaram "seis por meia dúzia", ou pior, "seis por cinco". Faça uma análise completa, contemplando todos os benefícios que você tem atualmente, bonificações, horas extras, quanto gasta em transporte, alimentação, tempo de deslocamento. Tudo deve ser levado em conta.

Evite forçar a conversa sobre salário na primeira entrevista. O recrutador ainda estará avaliando você e não estará convicto de todo o seu potencial. Quem dá o tom sobre esse assunto é quem está contratando – se o outro lado ainda não abordou o assunto, não cabe a você apressar essa discussão.

Relembre também o que dissemos sobre o poder de ancoragem (referência) que a revelação da sua remuneração atual possui na negociação. Só forneça essa informação se for estritamente necessário, mas tente logo puxar a referência para sua pretensão salarial, reforçando que um dos motivos para a movimentação é a insatisfação que você sente pelo fato de seu salário atual não refletir sua experiência e capacidade.

Ao entrar no tema da pretensão salarial, muitas pessoas ficam inseguras sobre o que responder. É melhor jogar muito acima e correr o risco de ser cortado do processo seletivo? Ou jogar abaixo, com risco de ser subvalorizado? Eu considero importante falar uma faixa de valor que você considere justa, adicionando cerca de 10-20% sobre o que acha ideal, para criar uma referência na mente do empregador. Obviamente, para que essa referência seja válida, você precisa estar preparado, tendo feito sua pesquisa prévia.

> *Monte a argumentação sobre quanto acredita que merece e esteja preparado para explicá-la claramente, de forma convincente, com base em dados, permitindo que o entrevistador venda essa ideia na empresa dele.*

Considerando que você tenha sido aprovado no processo seletivo e recebido uma proposta, o que fazer? Aceitar de imediato ou barganhar? Resista ao impulso de negociar só por negociar. Muitos candidatos consideram que são obrigados a negociar para mostrar que, se aceitos no cargo, também negociarão com clientes e saberão como representar a empresa. Mas a questão não é necessariamente essa. Como vimos no caso da estratégia de "comunicação relacional", você pode fazer uma associação ao fato de estar negociando para demonstrar que também negociará pela empresa, mas isso não é uma obrigação nem algo que o entrevistador esteja esperando. O entrevistador quer é saber se você tem uma boa linha de raciocínio e de argumentação. Isso não tem relação com negar a proposta oferecida e contra-argumentar, mostrando-se um negociador firme.

Caso a proposta feita seja boa e o deixe motivado, aceite sem negociar. E demonstre sua clareza de raciocínio para justificar, sem parecer desesperado por qualquer proposta. Você pode dizer: "Obrigado pela proposta. Considero que está justa e compatível com minha pretensão, ainda mais levando em conta que me identifiquei bastante com a cultura da empresa, com os desafios do cargo e com o papel que desempenharei." Com isso você passa o recado, demonstra que sua decisão foi bem embasada e que a escolha deles foi correta.

Por outro lado, uma última demanda sua, só pelo prazer de negociar ou para passar a imagem de durão, pode quebrar o clima de confiança que havia sido estabelecido, mostrar que você não entendeu os valores da empresa e até transmitir certo egoísmo. Minha dica é: se houver algum ponto que deixe você desconfortável, negocie. Compartilhe sua inquietação. Se estiver pensando em negociar apenas para passar um recado ou fortalecer sua imagem, esqueça.

Não use a pergunta direta "esse número é negociável?". Você não precisa anunciar que quer negociar para entrar nessa discussão. Faça isso sutilmente, e, quando perceberem, já estarão negociando. Ao perguntar abertamente se aceitam negociar, mesmo que possam, na grande maioria das vezes a resposta será um sonoro "não". A negativa é um sinal de defesa e, ao fazer uma pergunta fechada e binária, cuja resposta seja "sim" ou "não", sem novos argumentos para embasá-la, a resposta tenderá ao "não". Em vez disso, faça perguntas abertas, que estimulem seu interlocutor a explicar o ponto de vista dele, abrindo espaço para que você atue sobre algumas brechas no discurso. Você pode perguntar, por exemplo: "Quais foram os critérios para chegar a esse número?", "Vocês usaram como referência alguma pesquisa específica de remuneração?", "Quantos anos da minha experiência em funções similares vocês consideraram?".

Mesmo que haja pouca margem para negociação, você dificilmente vai prejudicar o relacionamento ou parecer ganancioso demais por querer entender o raciocínio lógico por trás de uma proposta. Se chegaram a fazer uma proposta, pelo menos já há um indício de que você tem alguma importância para eles e, teoricamente, há espaço para discussão. Considere que a negociação nada mais é do que uma conversa. Não tenha medo de expor seus pontos de vista ou de pedir mais informações, de forma empática e colaborativa.

Outra possibilidade é fazer uma afirmação genérica sobre "quanto profissionais com a sua experiência chegam a ganhar em outras empresas", usando a estratégia da "oferta-não oferta" que mencionei no tópico sobre ancoragem. Isso não é necessariamente uma proposta, mas tem o poder de criar uma referência sobre a qual as contrapropostas serão discutidas. Esteja aberto também a discutir soluções criativas para alcançar propostas alternativas que sejam interessantes para ambos (lembrando que você pode aceitar várias formas de pagamento, conforme já discutimos).

Ao trabalhar com múltiplas ofertas, considerando que você esteja participando de mais de um processo seletivo, tente casar o período em que elas serão recebidas, para não correr o risco de receber uma proposta excelente logo depois de ter sido obrigado a aceitar outra, que cairia caso você não tivesse se manifestado. É possível gerar essa sincronia sutilmente, buscando acelerar um processo (tornando-se disponível para entrevistas ou contatos) ou atrasá-lo um pouco (tentando jogar essas entrevistas um pouco mais para a frente, sem parecer desinteressado).

Se você não obtiver o valor desejado de imediato, mas conseguir algo bom o suficiente e perceber que continuar o processo de negociação vai apenas desgastar a relação, com poucas chances de sucesso, aceite. Entenda que é difícil lhe dar algo extraordinário enquanto você ainda não tiver provado, na prática, seu valor. Suas experiências passadas podem ser uma boa referência, mas, na realidade, ninguém pode garantir que a combinação da sua atitude com a cultura da empresa e a equipe será excepcional. Você pode então aceitar e já dizer sutilmente que daqui a seis ou 12 meses gostaria de conversar de novo sobre esse assunto, com resultados concretos em mãos.

Teoricamente, é mais fácil negociar um aumento salarial antes de entrar na empresa, sobretudo se você estiver empregado – já que a força da sua alternativa atual (continuar no seu emprego) lhe dará a tranquilidade para pleitear o que você merece. Porém, se você tiver esgotado todas as possibilidades de negociar e seu coração disser que esse emprego é para você, aceite, comece a trabalhar e mostre que seu trabalho é mesmo necessário para a empresa, negociando mais à frente, em posição mais fortalecida. Enquanto é apenas um candidato, você é facilmente substituível, já que ninguém se apegou a você nem às suas entregas. Depois de meses de ótimo relacionamento e com resultados consistentes, fica muito mais difícil negar um pedido bem embasado e razoável sobre remuneração.

Negociando salário no primeiro emprego

O processo de busca do primeiro emprego pode ser extenuante: montar um currículo atraente, analisar sua presença nas redes sociais, utilizar sua rede de relacionamentos para buscar indicações, procurar e se cadastrar para vagas, frequentar feiras de estágios/empregos, pesquisar como se portar durante a entrevista, resistir à pressão de amigos e familiares para que você entre logo no mercado de trabalho, tudo é muito novo e causa aflição e insegurança.

Em uma pesquisa realizada em 2018 com recém-formados nos Estados Unidos, três em cada quatro entrevistados apontaram como maior insegurança na busca pelo primeiro emprego o fato de não se sentirem preparados para negociar o salário, o que é normal, pela falta de experiência e receio por serem teoricamente a parte mais fraca nessa negociação com a empresa.

O maior medo que ouço dos candidatos ao primeiro emprego em relação à negociação salarial é o de serem vistos como gananciosos demais e a empresa retirar a proposta já feita – o que os deixaria sem o emprego e sem o aumento. Outro receio é o fato de não se sentirem merecedores de um aumento, pela falta de experiência profissional.

Em um estudo recente de duas empresas americanas especializadas em recrutamento (Nerdwallet e Looksharp) com 8 mil recém-graduados que entraram no mercado de trabalho e 700 empregadores, apenas 38% dos postulantes ao primeiro emprego afirmaram ter negociado seu primeiro salário. Dos que negociaram, 80% conseguiram algum benefício. Por outro lado, 84% dos recrutadores disseram que um candidato não colocaria em risco sua vaga ao tentar – respeitosamente – negociar seu salário. Ou seja, ao tentar negociar de forma adequada, os riscos são baixos. A grande maioria dos recrutadores – 90% – afirmou ainda que nunca retirou uma proposta por uma tentativa de negociação de um funcionário pleiteando o primeiro emprego. Apenas 6% dos entrevistados disseram que nunca estariam dispostos a negociar com um candidato nessa posição – número muito baixo para justificar a inação do candidato.

Meu conselho: não negocie simplesmente por negociar. O salário não deve ser o principal motivador para o primeiro emprego, mas sim o desafio, a possibilidade de crescimento, o nível de experiência a ser obtida e a identificação com a cultura da empresa. Por outro lado, o salário precisa ser satisfatório o suficiente para não ser um problema no curto prazo nem ser um fator de desestímulo. Se sentir que o valor oferecido será um problema que o incomodará em breve, abra a discussão. De forma suave e respeitosa, você pode dizer que gostou da empresa, se identificou com a vaga (e com todos os pontos que você puder enumerar) e que não quer parecer ganancioso, mas que tinha uma expectativa ligeiramente superior em relação à remuneração e não gostaria que isso se transformasse em preocupação no curto prazo, seguido da pergunta sobre como poderiam ajustar a remuneração para chegar ao valor x. Como a base salarial do primeiro emprego costuma ser pequena, pedidos de aumento de 10-20% em relação à primeira proposta representam pouco valor monetário adicional para o empregador. Considerando que enxerguem no candidato um potencial acima da média e sabendo que a quantia faz diferença para o funcionário, há boas chances de o aumento ser aceito.

No seu livro *Me Poupe – 10 passos para nunca mais faltar dinheiro no seu bolso*, Nathalia Arcuri, criadora do maior canal de finanças do YouTube, menciona o poder dos juros compostos e os efeitos que pequenos investimentos podem ter ao longo do tempo. Ela menciona que "as pessoas estão acostumadas a ver apenas o lado ruim dos juros: aquele acréscimo que faz a dívida crescer igual a uma bola de neve. No entanto, eles também podem trabalhar a nosso favor... com a ajuda dos juros compostos... [eu] não precisaria poupar tanto nem por tanto tempo para atingir meus objetivos".

Nathalia dá o exemplo de uma pessoa que conseguiu aplicar 100 reais todo mês no banco, com juros mensais de 1%. Esses meros R$100 mensais depositados, viram, ao final de 20 anos, 100 mil reais! (Sem os juros compostos seriam R$24 mil.)

Considerando que um aumento que você negocia no início da carreira entra na sua base de remuneração, que será o ponto de partida para futuros incrementos salariais, a combinação de pequenos ganhos adicionais com um investimento disciplinado pode fazer toda a diferença na sua vida. O que parece pequeno pode ser a chave para realizar seus sonhos, ter maior estabilidade familiar, dar bom nível de educação aos seus filhos, nunca passar sufoco com relação a dinheiro e, em determinado momento, com estabilidade e boa reserva, poder deixar de trabalhar por obrigação e atuar apenas por prazer, fazendo o que está mais alinhado com o seu propósito – movimento que eu mesmo iniciei recentemente.

Reforçando esse argumento da diferença produzida pela negociação salarial desde os estágios iniciais da carreira, o portal *Business Insider* fez uma simulação comparando dois profissionais. O primeiro aceitou uma oferta inicial de 45 mil dólares anuais e o segundo negociou esse salário para chegar a 50 mil dólares anuais – uma diferença de aproximadamente 400 dólares por mês. Considerando que ambos tenham aumento médio de 1% ao ano – em linha com a média de mercado –, mas que o segundo negocie ativamente acréscimos de 4% a cada três anos, no final da carreira o profissional que obteve esses aumentos teria ganhado um milhão de dólares a mais!

Fui promovido sem aumento salarial. O que fazer?

A promoção é um reconhecimento pela sua atuação na empresa, pelos resultados entregues e pelo potencial de contribuir ainda mais. Por isso, é justo que seja recompensada também financeiramente.

Ser promovido sem aumento salarial gera um sentimento dúbio, pois a felicidade do "reconhecimento" vem acompanhada da sensação de injustiça pela falta de compensação.

Essa não é uma prática incomum nas empresas. Um estudo da consultoria Robert Half em 2018 mostrou que 80% das empresas disseram que realizam promoções sem compensação financeira adicional. E isso vem se tornando mais frequente. O percentual de empresas que fazem isso quase dobrou entre 2011 e 2018. As empresas promovem funcionários sem compensação direta por três motivos principais:

1. Para dar os benefícios em etapas, fazendo com que o funcionário se sinta beneficiado duas vezes.
2. Por não terem conseguido o apoio interno necessário para aprovar tanto o cargo quanto o salário.
3. Para economizar.

Seja qual for o motivo, entendo que é necessária pelo menos uma conversa franca com seu gestor para compreender quais foram os motivos dessa decisão. Considero desproporcional um aumento das responsabilidades do cargo, com maior cobrança, sem a mínima compensação adicional. Apesar disso, 64% dos profissionais disseram que aceitariam uma promoção sem aumento imediato – e eu concordo com essa estratégia. Não vale rejeitar a promoção, porque ela colocará você em uma posição mais fortalecida para pleitear um aumento mais à frente, mas é essencial entender o raciocínio por trás da decisão e se posicionar para tentar fazer com que o aumento aconteça logo, usando argumentos objetivos, como os mencionados ao longo do livro. Pense que, se a empresa decidiu que você merecia uma promoção, isso é um forte indício de que vê seu valor. Houve apenas um desencaixe entre percepções, intenções e estratégia de compensação, que precisa ser resolvido pelo diálogo.

Isso já aconteceu comigo quando fui promovido a diretor comercial, mas meu gestor me disse que só falaria sobre aumento dali a seis meses. Senti na pele a dualidade de sentimentos, que tira boa parte da vontade de comemorar a realização que você batalhou tanto para alcançar. E há também uma sensação de impotência, que se sobrepõe às habilidades de negociação. No meu caso, tenho consciência de que fiz a minha parte na negociação para alcançar esse aumento imediato, mas faltava uma peça na engrenagem: a empresa queria economizar essa diferença salarial por alguns meses e sabia que eu não pediria demissão por esse motivo – certa ou errada a atitude, era a realidade, e eu percebi essa questão nas entrelinhas.

Argumentei demonstrando conhecimento sobre a faixa salarial de outros diretores e superintendentes (cargo imediatamente abaixo do meu na estrutura), mostrando também que, na movimentação que acompanhou minha promoção, havia ocorrido uma pequena reestruturação que trouxe uma economia no orçamento anual suficiente para comportar meu aumento. O raciocínio fazia sentido. Também expus a forma como me sentia ao saber que o aumento era viável, mas dependia da boa vontade do meu gestor direto, no caso, o presidente da empresa.

Claramente ele concordava com o argumento, mas respondeu de forma seca: "Só falaremos sobre isso daqui a seis meses."

Percebendo que não seria possível insistir mais no assunto sem prejudicar o relacionamento, fiz o que entendi ainda estar ao meu alcance: tratei esse prazo de seis meses como um compromisso sério e, ao longo desse período, relembrava a cada 40-50 dias que estava considerando a nossa conversa. Sabia também que precisaria demonstrar excelente performance nesse período para não deixar margem para uma nova postergação do aumento. Faltando 15 dias para completar os seis meses, pedi para agendarmos nossa reunião.

Para diminuir o clima de tensão, ele marcou um jantar para conversarmos. A conversa foi boa, citei os resultados alcançados no período – apesar de ele ter dito que não era necessário – e finalmente chegamos à discussão sobre o número. Ele veio com um valor fechado validado, próximo do que eu esperava. Consegui pelo menos uma mudança no plano de saúde e arredondar o valor proposto um pouco para cima (3%), usando como argumento as perdas que eu tivera por não ter recebido o aumento nos últimos seis meses, já atuando e demonstrando resultados compatíveis com a área. Assim foi possível chegar a um valor que satisfazia a ambos.

A lição que tirei desse episódio foi: por mais habilidoso que você seja na negociação, se a empresa tiver certeza de que é interessante para você aceitar a posição (nesse caso era a minha primeira oportunidade de ocupar um cargo de diretor) e quiser economizar dinheiro por um período, ela conseguirá. Caso não tenha forças para lutar contra isso sem estremecer a relação (que em cargos de confiança precisa sair desse episódio mais sólida do que entrou), é importante que você consiga acertar um período concreto para a nova conversa e extraia pelo menos um compromisso do gestor em revisar a questão no curto prazo.

Aumentaram minha carga de trabalho sem compensação financeira

É comum que profissionais eficientes eventualmente tenham que aumentar sua carga de trabalho ao assumir as tarefas de um colega que foi demitido ou processos que eram de outra pessoa, sem receber compensação alguma por isso. Muitos desses profissionais se sentem punidos por sua competência, como se sua capacidade de entrega fosse um fardo que acabasse lhes prejudicando e permitisse que fossem explorados pela empresa.

É preciso ter em mente que muitas vezes há um desencontro entre as atividades que você exerce e a compensação que a empresa lhe dá. Muitos profissionais erroneamente só assumem funções extras se houver contraprestação definida. Ao serem questionados pelo gestor sobre a possibilidade de "ajudarem" em determinadas tarefas, perguntam antes qual benefício terão.

Essa visão estreita de sempre trocar uma tarefa adicional por uma compensação financeira impede o crescimento sustentável de potenciais talentos. Um dos pontos que os gestores consideram para promoções e aumentos salariais é a postura de colaboração – que demanda sacrifícios eventuais, sobretudo em momentos de necessidade. A estrutura da empresa não se molda imediatamente a cada mudança de cenário ou emergências, e o gestor precisa tomar decisões difíceis para compensar possíveis brechas geradas por situações inesperadas.

Assumir prontamente tarefas importantes que estão "sem dono" é uma atitude que costuma ser mais bem recompensada no médio/longo prazo do que no curto prazo, e o recebimento dessa "missão" deveria ser visto mais como um sinal de confiança do que de exploração pelo gestor.

Encare isso como uma oportunidade. Sempre há algo a aprender com a realização de novas tarefas, mesmo que no momento você só consiga enxergar o lado negativo.

A questão é aceitar, demonstrando que está fazendo isso pelo bem da empresa e para suprir uma necessidade momentânea (mesmo que esse momento dure muitos meses). Mencione sutilmente que isso aumentará sua carga de trabalho ou priorização de tarefas e, depois que a situação se estabilizar, agende uma conversa com seu gestor para mostrar como isso tem impactado seu dia a dia para que possam discutir uma estratégia de revisão da estrutura e repassar essa tarefa ou ajustar uma compensação para que seja formalmente incorporada às suas atividades.

"Ninguém sabe fazer o que você faz"

Carla tinha 25 anos e um bom currículo para sua idade. Falava três idiomas, já tinha feito dois intercâmbios em universidades na Itália e na Suíça, era graduada em administração e pós-graduada em gestão de negócios. Aos 22 anos, iniciou estágio em um pequeno escritório que importava móveis e depois de um ano foi promovida, passando a atuar como analista de comércio exterior. O negócio era bem previsível, com poucos embarques mensais, e os prazos não eram críticos. Após dois anos atuando como analista, estava desestimulada com a rotina e com o salário já defasado, mas dizia que "não havia espaço para negociar" nem como crescer na empresa.

Através de alguns amigos, conseguiu uma vaga de analista de comércio exterior em uma grande empresa, com salário duas vezes maior que o anterior. O desafio era outro, o ritmo de importações era frenético e não havia margem para atrasos, já que poucos dias sem matéria-prima poderiam gerar prejuízos de centenas de milhares de reais. Carla era muito dedicada em sua função, levava trabalho para casa, se envolvia diretamente nos problemas da empresa, mas não era ambiciosa. Acreditava que obter destaque na empresa seria o caminho para ser reconhecida "no momento certo" e que seu gestor estava vendo seu trabalho. Na visão do gestor, porém, Carla era a pessoa certa para a posição em que estava. Tudo passava por ela e, se ficasse ali para sempre, estaria perfeito.

Cinco anos se passaram. Nesse período, Carla não teve aumento salarial real (apenas correções), e outras pessoas – inclusive algumas que entraram depois dela – foram promovidas. Ela começou a perceber que o momento certo parecia sempre distante. Um dia, sem se preparar nem embasar o discurso, tomou coragem e perguntou sutilmente ao seu gestor se ele achava que ela poderia virar coordenadora em breve. A resposta dele foi: "Carla, seu trabalho é essencial para a empresa e ninguém o faz tão bem quanto você. Não conseguimos imaginar outra pessoa na sua função." Ela não soube o que responder. Não enxergava outro caminho para crescer e seguiu trabalhando, esperando que algum dia uma nova oportunidade aparecesse – na própria empresa ou em alguma outra.

No caso de Carla, seu maior diferencial era também seu fardo. Ser indispensável é positivo, mas não quando paralisa seu crescimento. Caso sua função seja essencial para a empresa, mas não exista nenhuma outra pessoa qualificada ou treinada para executá-la, isso será um obstáculo para sua promoção. Tente identificar pessoas que possam assumir suas responsabilidades e, quando for pleitear uma promoção de cargo, tenha uma estra-

> tégia clara para apresentar ao seu gestor demonstrando em quanto tempo alguém estaria apto para realizar a sua função – pode ser inclusive sob sua supervisão no início, para dar maior segurança à transição.

Abandonando a carreira em favor da família

Muitos casais enfrentam, em algum momento da vida, a difícil decisão de um dos cônjuges ter que abandonar ou pausar sua carreira para acomodar uma situação específica, como mudança de cidade, maternidade, decisão de empreender ou falta de oportunidades de crescimento.

No caso das mulheres, a decisão de abandonar a carreira "em proveito do casal" em geral surge com o primeiro filho. É feita uma comparação entre os custos de creche ou babá com o salário atual da mulher e, quando a economia não é tão representativa – ainda mais considerando o efeito positivo da presença materna em casa –, o marido promete correr atrás para compensar parte dessas perdas, facilitando a decisão.

O problema dessa "conta simples" é que o valor que a mulher produziria ao longo de sua carreira não é levado em conta. Também não é considerada a força que a mulher com emprego traria para a posição do casal em futuras decisões de carreira. Homens com filhos recém-nascidos e mulher dona de casa não podem ter sonhos, não podem empreender, precisam "garantir o leite", engolindo quantos sapos forem necessários.

A primeira decisão a ser tomada pelo casal está relacionada a manter suas alternativas de carreira abertas. Por isso, não vejo vantagem clara em encerrar precocemente a carreira de um dos cônjuges com o nascimento dos filhos. Há também uma questão importante, que não recebe a devida atenção nos debates e que é responsável por destruir os sonhos de carreira de muitas mulheres ao longo dos anos: qual carreira é a mais importante no casal, a da mulher ou a do homem? "As duas" seria a resposta mais óbvia, mas a questão é mais complexa do que isso. Tampouco é garantido que seja a do homem, ao contrário do que é decidido pela maioria dos casais.

Minha resposta é: a estratégica combinação das duas carreiras. Isso não é igual a dar o mesmo valor às duas, mas a traçar uma estratégia de longo prazo, que aproveite o melhor momento, perfil e oportunidades que possam aparecer para cada um, e tomar decisões que avancem na direção do objetivo traçado. As decisões não precisam necessariamente ser tomadas em prol de quem tem o salário mais alto, mas considerar outros fatores, como estabilidade no emprego, nível de satisfação atual, aptidão do outro para o empreendedorismo, capacidade de recolocação, dentre outros fatores.

Ao falar abertamente sobre isso, seguindo outro princípio da negociação, que é o da colaboração e comunicação para criar valor, o casal pode descobrir caminhos que não seriam imaginados se tomassem a decisão com bases simplistas.

Retornando ao mercado de trabalho

O retorno ao mercado de trabalho após longo período de inatividade pode ser muito difícil e ameaçador. A insegurança em relação às suas capacidades pode acabar sendo transmitida de forma involuntária durante entrevistas de emprego e diminuir ainda mais suas chances de recolocação.

Para facilitar sua transição e recolocação, tente desenvolver alguma atividade autônoma no período em que estiver buscando novas oportunidades. Isso fará com que você saia da inércia e vá se acostumando novamente ao ritmo de trabalho, além de possibilitar conhecer pessoas que podem indicá-lo a uma vaga.

Confie no seu potencial, mas tenha em mente que pode ser preciso "pagar um pedágio" para voltar ao mercado. O tempo não parou e as grandes vagas não ficaram esperando por você durante o tempo em que ficou inativo. Conseguir alguma oportunidade, mesmo que em posições mais baixas do que a última que você ocupou, pode ser uma chance de demonstrar seu valor e pleitear cargos mais elevados no médio prazo. Lembre que as vezes é preciso dar um passo atrás para dar dois à frente.

Nas entrevistas de emprego, fale ativamente sobre seu período de inatividade formal, tentando listar cursos ou atividades paralelas que desenvolveu nesse período para diminuir a percepção de que você possa estar "enferrujado". E em relação à sua situação atual, você terá mais poder na negociação se demonstrar que está exercendo alguma atividade, mesmo que de forma eventual ou autônoma, do que se não estiver fazendo nada.

Retomando a carreira

Marta estudou em uma das melhores faculdades particulares do país, começou a carreira em um programa de trainee, tornou-se analista, depois coordenadora, chegando a gerente de uma equipe de trinta pessoas.

Seus resultados eram consistentes, o nível de engajamento da equipe era alto e sua visibilidade na empresa era excelente. Mas o sonho de ser mãe era latente. Aos 29 anos, decidiu que era a hora de realizá-lo.

A maternidade fez com que escolhesse dedicar-se completamente a cuidar do filho. Dois anos depois veio o segundo filho e, sem que notasse, Marta ficou cinco anos fora do mercado de trabalho. Nesse tempo participou de alguns eventos corporativos, mas sentia-se afastada do ambiente profissional.

Após o longo recesso, decidiu que era hora de retomar a carreira, mas encontrou um mercado difícil, com poucas oportunidades. Passou meses buscando posições gerenciais sem sucesso e precisou reavaliar seus objetivos. Entendeu que dificilmente conseguiria saltar da inércia para a gerência, já que ela havia parado, mas o mercado seguira.

Ao listar seus reais interesses, concluiu que seria muito importante obter estabilidade, horário flexível e trabalho em local fixo, além de um bom plano de saúde. Ao ter a cabeça mais aberta, passou a notar que propostas para analista sênior, com esse pacote de benefícios, poderiam ser uma boa porta de reentrada no mercado.

Aceitou uma posição de analista em uma sólida empresa e depois de um ano obteve a promoção para coordenadora, cargo que ocupa atualmente e onde encontrou equilíbrio entre a atividade profissional e as demandas pessoais, mesmo com salário mais baixo do que recebia antes da inatividade.

Como negociar se você for superqualificado para a posição

Ao se candidatar para um cargo em que a posição esteja bem abaixo das suas expectativas, as questões intangíveis serão mais importantes na avaliação do que os aspectos objetivos de sua capacidade de entrega. As maiores preocupações do empregador serão sobre seu interesse em permanecer motivado e não largar tudo assim que conseguir algo melhor, além de se certificar de que sua presença não intimidará outros funcionários, prejudicando o ambiente.

A primeira questão a considerar é não transmitir arrogância por se considerar superqualificado. Se isso for mencionado, deve ser pelo entrevistador, não por você. Deixar passar a imagem de que se sente muito acima da posição não contribuirá em nada para conseguir o emprego – que afinal é o seu objetivo atual, ou não perderia tempo sendo entrevistado.

Você precisa pensar quais são os reais motivos pelos quais esse emprego seria interessante e conseguir demonstrar isso claramente ao longo da conversa. Você pode ter decidido mudar de setor ou de cidade, sempre ciente de que teria que "pagar um pedágio" para tal. Sua mudança pode ter sido baseada na busca por mais propósito, flexibilidade ou qualidade de vida. Todos esses motivos são nobres, mostram uma decisão estratégica de carreira e não passam a imagem de que está perdido, topando qualquer coisa que aparecer.

•

Caso realmente esteja desesperado, precisando de qualquer emprego para pagar as contas, isso não pode transparecer no seu discurso.

•

É preciso que você reflita genuinamente sobre a vaga e pense em quais aspectos seriam positivos. Seu discurso deve contemplar o quanto você pode contribuir para que essa posição ganhe importância dentro da empresa, se tornando mais relevante em algum momento, gerando mais resultados ou melhor produtividade.

Para não se desvalorizar demais, ao ser questionado pelos motivos de querer o emprego, o ideal é dizer que está buscando uma posição mais permanente (caso esteja prestando apenas serviços como *freelance*) e que vê possibilidades de recomeçar ali e buscar um crescimento gradual, sem pular etapas. Para reforçar seu discurso de que é possível criar raízes em um lugar, vale sugerir referências (pares ou superiores que trabalharam com você em outras empresas nas quais tenha permanecido por bastante tempo).

Como agir se você identificar que o obstáculo para o seu aumento é ligado a preconceito

Infelizmente preconceitos ainda estão presentes de diversas formas no ambiente empresarial e podem ser responsáveis por barrar decisões de crescimento de carreira e aumento salarial. Os principais preconceitos que enxergo no ambiente empresarial são relacionados a gênero, idade e experiência prévia no setor (alguns setores são muito fechados para pessoas de diferentes indústrias).

Um ponto importante a considerar inicialmente é se o preconceito que você sofre é parte da cultura da empresa ou apenas um problema dos seus gestores imediatos. Caso a origem seja uma incompatibilidade em relação à cultura da empresa, talvez seja mais fácil mudar de emprego do que mudar a cultura empresarial, que normalmente é muito arraigada. Isso será um sinal de que esse não é o lugar certo para você.

Muitos gestores apresentam esses preconceitos de forma inconsciente, ou seja, eles estão presentes em suas análises sem que se deem conta, mas as decisões são influenciadas por eles. E podem gerar escolhas que depois eles nem conseguem explicar.

A forma mais eficaz de quebrar o preconceito é tentar rebatê-lo com questões objetivas, fazendo com que a própria pessoa comece a repensar suas posições. O argumento de que "esse cargo não é para mulheres" não pode resistir a entregas consistentes e constantes, com resultados acima da média. A "falta de experiência na função" é um argumento frágil perto de um notável aumento de produtividade ou do reconhecimento dos liderados.

Sua missão para rebater preconceitos é tornar seus resultados tangíveis, fazer o máximo para obrigar a discussão a girar em torno de aspectos objetivos e mensuráveis, para que o outro não tenha alternativa a não ser dizer explicitamente que a única causa da sua decisão é um preconceito. Em geral, pouquíssimos fazem isso, e, caso façam, isso deveria ser passível de retaliação por parte de outros decisores na empresa. Ou, como disse no início, essa empresa não é para você.

Lidando com questões difíceis

Alguns pontos podem enfraquecer sua negociação, mas não são impeditivos para sua seleção para uma vaga. Vejamos alguns exemplos.
1. Você já tem uma viagem marcada e não gostaria de adiar.
2. Você está no último período da faculdade, com grade de aulas mais intensa.
3. Você aceitaria mudar de cidade para assumir uma vaga, mas teria que esperar o fim do período escolar para poder levar seus filhos.

Na fase inicial da negociação, a empresa ainda está fazendo uma avaliação superficial de prós e contras de todos os candidatos, e, como ainda não conseguiu identificar todo o valor que você poderia trazer para a empresa, qualquer uma dessas questões negativas pode ter um peso muito grande e até desclassificar você na disputa. Questões que só teriam impacto no curto prazo podem acabar tendo peso desproporcional e arruinar sua estratégia.

Minha sugestão é: não aborde ativamente essas questões nos estágios iniciais da negociação, em que a outra parte ainda não está convencida do seu valor, não optou por você nem está apegada a essa decisão. Nos estágios finais, quando a decisão já tiver sido tomada e você levantar esses pontos, o gestor estará muito mais disposto a trabalhar em conjunto para buscar uma solução que concilie os interesses de todos.

De qualquer forma, esteja com um discurso preparado, caso seja perguntado, *e de forma alguma minta.* Se você tem receio de que certa questão seja abordada, ela certamente será levantada pelo outro, e o melhor é que você já tenha pensado em como responder, para não ser pego de surpresa e transmitir insegurança na resposta.

> ### "Tenho uma viagem de 15 dias para a Europa daqui a três meses"
>
> Eu era diretor comercial de uma empresa e, juntamente com o gerente, estava entrevistando estagiários. Depois de recebermos candidatos pré-selecionados, fizemos nossa escolha e classificamos três para as entrevistas finais. Um candidato se destacou e fizemos a proposta para ele na semana seguinte, presencialmente.
>
> Ele agradeceu a escolha, se mostrou muito feliz e motivado, mas disse, um pouco envergonhado, que tinha duas questões para colocar e que esperava muito que fosse possível conciliá-las. A primeira era que tinha uma viagem de 15 dias para a Europa marcada para dali a três meses; a segunda era que, por estar terminando a faculdade, teria que sair do trabalho às 17h (em vez de 19h), duas vezes por semana, por quatro meses.

Pelo volume de trabalho que tínhamos, essa seria uma questão complicada, pois nossa equipe estava no limite e não tínhamos para quem delegar essa função. Mas pelo fato de termos tomado a decisão de contratá-lo alguns dias antes de ouvir essas demandas, já tínhamos nos acostumado com a ideia de que ele seria contratado e pensado no que ele poderia agregar por suas características pessoais. Aceitamos as demandas – com um compromisso de que compensaria horas em outros dias, se fosse necessário – e seguimos em frente. Não nos arrependemos da decisão.

O momento de negociar condições especiais é logo após ter efetivamente recebido a proposta. Se você coloca muitos obstáculos antes de receber uma oferta, pode ser que os recrutadores escolham outro candidato para evitar transtornos. Após terem feito a proposta, há uma tendência maior a se apegarem àquela decisão e terem boa vontade para acomodar alguma necessidade especial, como uma viagem nos próximos meses ou um horário específico temporariamente, por conta de um curso. Não considero indicado colocar essas questões só depois de ter iniciado suas atividades, pois pode gerar quebra de confiança (pelo fato de você ter possuído a informação o tempo todo e não ter compartilhado anteriormente).

Meu chefe prometeu o aumento e não cumpriu

A princípio, as relações no trabalho devem ser de boa-fé, mas pode ser que casos como esse aconteçam e alguém aja de má-fé para conseguir benefícios próprios às custas de outro.

O mais indicado em qualquer relação profissional, mesmo naquelas em que o relacionamento seja saudável, é sempre documentar fatos relevantes, como um acordo salarial. Não há problema em pedir que o RH ou seu gestor lhe envie por e-mail uma confirmação do que foi combinado. Caso sinta que isso vai demorar a acontecer, você pode fazer isso de forma simples, enviando um e-mail e pedindo um "de acordo": "Conforme conversamos, ficou combinado que a partir da data X, meu salário será de Y, além do benefício Z."

Caso seja uma promessa condicionada a algum resultado, também pode ser registrado de forma simples: "Após nossa conversa, ficou combinado que caso eu/a equipe atinja o resultado X no período Y, farei jus a uma bonificação extra de Z, a ser paga em conjunto com o salário do mês seguinte..."

O registro por escrito pode ser muito útil para dirimir "mal-entendidos" e esquecimentos do seu gestor – muitas vezes reais – e também para persuadi-lo a cumprir o acordo.

Existem casos que não são resolvidos de forma amigável e chegam a ser pleiteados na justiça, inclusive como indenização por dano extrapatrimonial (moral), caso a real expectativa tenha gerado sentimento de humilhação ou frustração. Um e-mail com a formalização da empresa pode ser usado como prova. Mas, de qualquer forma, o melhor caminho é conseguir chegar a um consenso sem precisar entrar em litígio.

Servidor público

A carreira do servidor público envolve menos – ou nenhuma – negociação salarial nominal, já que o valor da remuneração costuma ser fixado, com regras claras a serem seguidas. Por outro lado, isso não quer dizer que a negociação esteja ausente da realidade do servidor.

Existem diversos pontos relativos à forma de cumprimento das atividades que podem ser negociados e dependem apenas de um acordo entre o profissional e seu gestor, podendo melhorar consideravelmente a produtividade, o exercício de outras atividades e a qualidade de vida.

Já vi o caso de um pai de filho recém-nascido que negociou executar seu trabalho por *home office* três vezes na semana, desde que atingisse certas metas de produtividade. Presenciei acordos que permitiram que funcionários públicos fizessem cursos no exterior, que agregaram tanto às suas carreiras como às áreas onde atuavam. Outros acordos possíveis dizem respeito a banco de horas, promoção para cargos de confiança, flexibilidade de horário para conciliar com outra atividade não vedada e licença para cursos de longa duração.

Pense de forma mais ampla nos benefícios que pequenos acordos poderiam trazer para a sua vida e tenha uma conversa aberta com seu gestor, demonstrando os ganhos que esse acordo traria para seu ambiente de trabalho e para a produtividade de sua unidade.

Conclusão

> *"Embora ninguém possa voltar atrás e fazer um novo começo, qualquer um pode começar agora e fazer um novo fim."*
> – Francisco do Espírito Santo

A palavra "trabalho" tem sua origem na palavra latina *tripalium*, que era um instrumento formado por três paus ou estacas utilizado para torturar escravos. A visão da palavra como punição pode ser a razão por usarmos a expressão "vale a pena" trabalhar em determinado lugar, indicando que a compensação pela penalidade seria suficiente para se submeter a ela.

Como ensina Mario Sergio Cortella em seu livro *Por que fazemos o que fazemos*, a principal causa de desmotivação dos funcionários em relação às empresas é a ausência de reconhecimento, que pode se manifestar de várias maneiras, como um chefe injusto ou um salário não adequado.

Mergulhando mais na questão do salário, que é o tema deste livro, quando o profissional julga que vale muito mais do que a empresa lhe paga, temos um sinal de exploração.

> *Sentir-se explorado – isto é, concluir que está sendo usado sem compensação adequada – é diferente de colocar seu trabalho a serviço da empresa – isto é, vender seu tempo e talento para ela.*

A frustração por não ser remunerado de forma justa é dolorosa. Abala a autoestima, gera estresse, causa desmotivação e cria um círculo vicioso que acaba prejudicando sua vida pessoal. Por outro lado, o sentimento de reconhecimento reforça a autoconfiança e estimula ações que levam ao sucesso.

Imagino que você já tenha tentado pedir aumento salarial e ouviu um "não". O sentimento de rejeição e injustiça é realmente muito forte e acaba nos desestimulando a tentar de novo, para nos protegermos de sentir outra vez esse sabor amargo. As histórias de insucesso dos outros também afetam nossa determinação em tentar e ter o mesmo fim.

Mas o que observei ao longo dos anos, tanto da perspectiva de funcionário quanto da de gestor, é que cada caso é um caso. Não existem cenários imutáveis nem verdades absolutas. Tudo é situacional. O fato de ter tentado e não ter conseguido não significa que o pedido é inviável. Existem diversas variáveis que precisam convergir para que o sucesso ocorra, e uma delas pode ter faltado. Pode ter sido o momento, a forma, o discurso, a situação momentânea, mas essa não pode ser considerada uma situação irreversível. Tampouco o insucesso dos outros pode ter influência sobre a sua decisão de agir. Cada pessoa é diferente, e, apesar de sua posição ser similar à de outros colegas, a forma como são vistos pela empresa definitivamente é diferente, por mais que isso não seja explícito.

Para avançar na carreira e ser remunerado de forma justa, é preciso agir. O pedido é a parte final do processo, que demanda merecimento, resultados consistentes, atitude, controle emocional, bom relacionamento interpessoal e visão.

Fico muito feliz em ver pessoas realizadas. Sempre que posso, tento ajudar profissionais que se encontram em uma encruzilhada na carreira, sem saber qual deve ser seu próximo passo. São profissionais com muita energia, que precisam apenas de uma direção.

Escrevi este livro para iluminar o caminho dessas pessoas, espero alcançar o maior número possível de profissionais. Já produzi bastante conteúdo sobre o assunto, em entrevistas, artigos, vídeos, mas aqui me esforcei para colocar tudo o que eu sabia, com uma estrutura que pudesse facilitar a assimilação e, principalmente, a execução.

Sinto que cumpri meu compromisso de compartilhar o conhecimento e tudo que lhe peço é que cumpra a sua parte, de colocá-lo em prática.

O desconforto será temporário, mas os benefícios serão duradouros. Busque o que você merece. Seus sonhos agradecem.

Ao sucesso!

Ferramenta: Canvas de Negociação Salarial

Espero que a leitura tenha despertado reflexões sobre seu ambiente profissional e sobre situações pelas quais você passou, que poderiam ter sido conduzidas de outra forma. Fazer uma leitura mais profunda do cenário ajuda bastante a decidir o caminho a ser seguido no futuro, seja investindo na negociação para melhorar sua situação atual ou concluindo que buscar outros rumos pode ser a melhor solução.

Apesar da importância da visão geral, meu compromisso é fazer com que você se sinta confiante e em condições reais de conduzir uma negociação salarial bem-sucedida. Por isso, montei três materiais extras que o ajudarão a consolidar o conteúdo apresentado no livro (mapa resumo), manter o foco no objetivo final (manifesto) e estruturar de forma prática sua preparação (canvas de negociação).

O canvas foi desenvolvido para organizar sua preparação para a negociação. Sabendo que o papel em branco é intimidador, listei os elementos essenciais da preparação (partes, interesses e alternativas), para guiar seu processo, com a ordem em que cada campo deve ser preenchido. Ao fazê-lo, fica mais fácil identificar uma zona de acordo possível (faixa de valor em que há possibilidade de vocês chegarem a um consenso) e listar soluções para compor o acordo.

MEUS INTERESSES	INTERESSES / MOTIVOS DA EMPRESA	PRINCIPAIS INFLUENCIADORES

MINHAS ALTERNATIVAS	ALTERNATIVAS DA EMPRESA	OBJETIVO
		Status atual: Referências: Alvo:

HISTÓRICO / REALIZAÇÕES	POSSÍVEIS OBJEÇÕES / RESTRIÇÕES	ARGUMENTOS

-------------------- APÓS A PRIMEIRA TENTATIVA --------------------

GAPS IDENTIFICADOS	COMPROMISSOS ASSUMIDOS	DATA DA PRÓXIMA CONVERSA

Agradecimentos

Toda conquista é um processo que se inicia muito antes do ponto em que se alcança visibilidade. Agradeço aqui às pessoas que, em algum momento da minha vida, contribuíram para que esse projeto fosse concretizado.

Primeiramente aos meus pais, Henrique e Lila, que sempre apoiaram minhas escolhas, mesmo que à primeira vista não concordassem com elas. Aos meus irmãos, Thais, Sávio e Mila, que, cada um à sua maneira, me incentivaram a tentar evoluir sempre. À minha saudosa avó Lucy, que contribuiu enormemente para minha formação. À minha esposa, Luana, minha companheira para a vida, exemplo de profissional bem-sucedida, que me inspira a alcançar objetivos e que me deu os presentes Eva e Pedro, para os quais pretendo ensinar desde cedo quanto a negociação pode ajudar em suas vidas.

No campo profissional, agradeço a Erich Buschle e Leonardo Cavalcante pelas oportunidades e pela confiança incondicional no meu trabalho. A Rafael Romanhol e Éder Monteiro por me apresentarem ao inspirador universo do TEDx.

No projeto deste livro, agradeço a Fernanda Hasslocher e Guilherme Sivelli, que me ajudaram a buscar caminhos para esta publicação. Pedro Henrique Lima, pelo trabalho brilhante de aproximação com os veículos de mídia. Nana Vaz de Castro, pelo feedback crítico e sincero sobre meu primeiro manuscrito, que me provocou a buscar formas de reescrevê-lo em outro nível, e Clarissa Oliveira, que foi essencial em todo o processo, com dicas preciosas. À Editora Sextante – que sempre admirei – por acreditar no projeto.

No campo da negociação, agradeço a William Ury, por ser uma fonte de inspiração – desde a primeira palestra a que assisti presencialmente, descobri uma nova abordagem para a negociação, que pude aprofundar com excelentes professores como James Sebenius e Michael Wheeler.

Por fim, agradeço a todos os meus professores, por me inspirarem na nobre missão de compartilhar conhecimento, e especialmente à minha mãe, professora de português, que sempre me exigiu um bom nível de escrita, essencial para minha atividade atual.

Bibliografia

Arcuri, Nathalia. *Me Poupe: 10 passos para nunca mais faltar dinheiro no seu bolso*. Rio de Janeiro: Sextante, 2018.

Babcock, Linda e Laschever, Sara. *Ask For It: How Women Can Use Negotiation to Get What They Really Want*. Nova York: Bantam, 2009.

Bradberry, Travis e Greaves, Jean. *Inteligência emocional 2.0*. São Paulo: Alta Books, 2018.

Cialdini, Robert B. *As armas da persuasão: Como influenciar e não se deixar influenciar*. Rio de Janeiro: Sextante, 2012.

Cortella, Mario Sergio. *Por que fazemos o que fazemos*. São Paulo: Planeta, 2016.

Cuddy, Amy. *O poder da presença: como a linguagem corporal pode ajudar você a aumentar sua autoconfiança*. Rio de Janeiro: Sextante, 2016.

David, Susan. *Agilidade Emocional: Abra sua mente, aceite as mudanças e prospere no trabalho e na vida*. São Paulo: Cultrix, 2018.

Dweck, Carol S. *Mindset: A nova psicologia do sucesso*. Rio de Janeiro: Objetiva, 2017.

Goleman, Daniel. *Inteligência emocional: A teoria revolucionária que redefine o que é ser inteligente*. Rio de Janeiro: Objetiva, 1996.

Goleman, Daniel; McKee, Annie e Waytz, Adam. *Empathy (HBR Emotional Intelligence Series)*. Boston: Harvard Business Press, 2017.

Jaras, Olivia. *Know Your Worth, Get Your Worth: Salary Negotiation for Women*. Salary Coaching for Women, 2016.

Kahneman, Daniel. *Rápido e devagar: Duas formas de pensar*. Rio de Janeiro: Objetiva, 2012.

Lax, David A. e Sebenius, James K. *Negociação 3-D: Ferramentas poderosas para modificar o jogo nas suas negociações*. Porto Alegre: Bookman, 2008.

Malhotra, Deepak. *Acordos quase impossíveis: Como superar impasses e resolver conflitos difíceis sem usar dinheiro ou força*. Porto Alegre: Bookman, 2017.

Neale, Margaret A. e Lys, Thomas Z. *Getting (More Of) What You Want: How the Secrets of Economics & Psychology Can Help You Negotiate Anything in Business & Life*. Nova York: Basic Books, 2015.

Pofeldt, Elaine. *The Million-Dollar, One-Person Business: Make Great Money. Work the Way You Like. Have the Life You Want*. Nova York: Lorena Jones Books, 2018.

Shapiro, Daniel. *Negotiating the Nonnegotiable: How to Resolve Your Most Emotionally Charged Conflicts*. Nova York: Penguin Books, 2016.

Stone, Douglas; Patton, Bruce e Heen, Sheila. *Conversas difíceis: Como argumentar sobre questões importantes*. Rio de Janeiro: Campus/Elsevier, 2011.

Ury, William. *O poder do não positivo: Como dizer não e ainda chegar ao sim*. Rio de Janeiro: Campus/Elsevier, 2007.

Ury, William; Fisher, Roger e Patton, Bruce. *Como chegar ao sim: Como negociar acordos sem fazer concessões*. Rio de Janeiro: Sextante, 2018.

Wheeler, Michael. *A arte da negociação: Como improvisar acordos em um mundo caótico*. São Paulo: Leya, 2014.

Para saber mais sobre os títulos e autores
da Editora Sextante, visite o nosso site.
Além de informações sobre os próximos lançamentos,
você terá acesso a conteúdos exclusivos
e poderá participar de promoções e sorteios.

sextante.com.br